「国家と民とコロナ」

八〇歳だから云えること

目次

まえがき

平成二八年一〇月二二日

齢七四も過ぎ、最も恐れることの一つが認知症で、文章を考え、書くことが脳のためになるかと思い「集団論」と題し、書きはじめました。とにかく人の名前が出てきません。顔とかどんな人とかはよく分かるのですが。

令和元年八月一日

知り合いが何人か死にました。いずれは自分の番が来ることは分かっています。でもまだ元気でいられることがありがたいことだと思っています。死ぬ前に言いたいことをいってから死のうと思っています。

第一部

何を言いたいのか

第一章　個の否定　〜集団論の序章〜

人は集まる。一人で生活はできても、永遠に受け継がれていかない一代限りの命など一瞬の輝きに過ぎない。

集団を考えるとき、簡単に個人を単位と考え、個人が集まって最小の集団である家族や地域につながると考えるのは分かりやすいが正確とは言いがたい。「個人と社会」という問題の立て方がそもそも間違っている。個体の発生そのものが両親の存在を必要とするうえに、個の意識が出来上がる前に集団の意識に同化してしまう。個人は親から生まれ子どもに生を引き継ぐ。家族という集団が先なのだ。個人というのは集団を構成するものの一部の要素に過ぎないといえる。

集団を集団たらしめているのは、そこに住む人々が同じ空間のなかで、ともに同じ空気を吸い、同じ時間をすごしているという事実の上にある。

ありていに言えば、あなたが地球人（コスモポリタン）を自称しても、国籍を変えても日本人であることには変わりないし、東京に出てきておしゃれして、気取ってみても田舎もんだということです。

第二章　国家は現在における集団の最高形態

完成した集団の最上位には「国家」がある。国とは武力を背景に国民を支配し、収奪と分配を繰り返す、一定のまとまった統合された集団である。

その上にありうる国家の集まりである「世界」は決して完成しない。集合、離散を繰り返し、漂う。

世界が一つになることはない。あるとすれば宇宙人が襲ってくるとき、巨大な隕石が地球に衝突するとき、世界規模の疫病が発生するときくらいでしょうか。

国は戦争によってのみ国家たりえる

戦争は勝つと思って始めるが負けて国が滅びるのが常態である。霧が晴れて川向こうに対峙した敵の軍勢を目の当たりにして、この戦いに勝たねば我々は皆殺しにされ、国は滅びると思ったときこそ国を意識する瞬間なのだ。したがって国家を独立したものと考えると間違える。あくまで国と国との関係性から形が決まってくる。戦争によって国家観が生まれる。逆にいたずらに国家を強調する人は戦争を考えている。

人は天使にも悪魔にもなる

平和なときには他人にやさしく、子どもの笑顔になごむ人も戦争になれば平気で子どもを殺す。だから、戦争を起こしてはならない。

戦争がなければ人は人の善意を期待できる。戦争がなければ人は人と共に生きることを決意できる。

どうしたら戦争を避けられるのか

どうやら日本人は戦争好きのようだ。国民一丸となってオリンピックを成功させようなどと戦争の時のスローガンと同じだ。いつの時代にも、どうしたら戦争を避けられるのか、どうしたら戦争に突入した戦前のような社会にしないですむのか、これらが政治の要諦にならなければいけないのに時代はいやな方向にいっている。多分、知らず知らずのうちに国民が戦争を望んでいるのだろう。「日本も戦争ができる一人前の国にならないといけない」と。

正義を語る人は危ない

正義を語る人は、独りよがりで、自分だけが正しいと言い、不正を正さなくてはならないと言う。もし彼が武器を手にしたらテロリストになる。

人は欲で動く

人は生きている限り欲を持ちます。欲がなくなるときは死ぬときです。死ぬ瞬間まで生きていたいと思います。欲は生きるということと同義語です。人が欲を持つ限り争いもなくなりません。争いのこの世からドロップアウトしたければ死ぬしかありません。欲が枯れて死を迎えるなら魂はあの世に行きますが、欲が枯れずに死を迎えてしまうと、魂はこの世にさまよい、成仏はできません。

> 正義とは隠された欲望のことである。正義を声高に叫ぶ人がいたら、注意深くその裏にある欲望を探してみよう。

権力は腐敗する

支配の実態となる権力は腐敗する。これが出発点である。権力は腐敗しないとか必ずしも腐敗しないと言う人とは話さない。

権力を扱うのが人間である以上、権力は腐敗するし、抑制は難しい。

権力は腐敗するので、建前との乖離は広がる。乖離を埋めるのに嘘は必然である。

すべて権力に付随する、固有なもの

権力とは国の方向性を決め、指示する力、立法、司法、行政、軍事、治安、処罰、教育、福祉、往来の自由、言論の自由などあらゆる場面に権力が姿を変えて現れてくる。民主主義など幻。民の一部が権力をにぎれば支配者に転化する。絶えざる権力闘争しかない。

権力者は権力を楽しんではいけない。権力を持つことに恐怖を感じないといけない。

権力の腐敗をどう防ぐのか

権力は腐敗するとの認識の下、監視を怠らない。

意思決定のプロセスをすべて公開する。

権力に問題があれば交代できる手段を用意しておく。

たとえば軍部に対し、例えば国民から直接選出された数名の指揮管理官をおく。権力の手に渡さない。しかしその指揮管理官が権力者に変質するので要注意。

家制度は解体する。婚姻制を廃止しよう

選んだ男の出来不出来で女の幸福が決まるなんてこんな不条理なことはない。有権者の半分が女性であることを考えればこんな事態はどうにかならないものでしょうか。

集団の最小単位と想われる家族制度を解体し、女系家族に変更する。父親と暮らす家はなくなる。家族は子どもと母親で構成する。以前の家は家族を束縛し、苦しめる存在だ。新しい家制度では子どもは社会全体で支えていく。財産の相続はこれを認めない。遺産は特定の子どもに継がせるものではなく、世の中の全ての子どものものである。親の金を当てにするやつはろくなもんじゃない。

国家と民

国家にとって国民は必然だが、国家のできる以前から民はいた。国家が滅びても民は残る。民が残る限り、国が滅びてもいつか再生する。

国破れて山河ありというが残るのは自然だけではない。民も残り、新しい国家の建設が始まる。

国家と天皇制

戦争が終えて世代が進むと、いかにこの支配が正当なものかを説明する物語が欲しくなる。祖先に建国の英雄がいて自分たちはその輝かしい子孫というわけだ。

天皇制は私の見るところ宗教です。神が天皇の体を借りてこの世に現れ、日本国民を導き神の国を作る。戦いは苦しいほど喜びは大きい。神のために死ぬことは殉教者となること。

新しい天皇が即位し、さまざまな儀式が伝統に基づいて行われているとのことだがそれはおかしい。戦国の世にあって、あのように巨額の費用が継続的に支出できるわけがない。貴族も含め、生活にカツカツだったに違いない。つまり、伝統が途絶えたと考えられる。今の儀式は〝伝統〟という名の新しい儀式ではないのか。天皇が日本国民の敬愛の対象として、こころを一つにするために存在すると言うことには異論はないが、よこしまな考えを持った取り巻きがことさらに神秘性を高め、雲の上の人にしようとしているということではないか。

天皇制は究極の無責任体制を可能にする。軍首脳部の指令も天皇の命令だと言えば、天皇の責任となる。間違った戦略上の判断も、すべて天皇の判断で自分たちに責任はないと言い張れる。

非接触型の文明

コロナが文明の間隙を縫って現れたため、コロナ後は接触を避けた文明にならざるを得ない。

そのことが社会に何をもたらすかを考えておかなければならない。

第三章　新型コロナ対応の誤り

この本を準備中新型コロナの感染という国難が持ち上がったため、急遽加筆することにした。国のトップが判断を誤ると国民全てが不幸になることは太平洋戦争で経験したが、今回改めて痛感した。

政府と都知事が犯した六つの基本的誤り

その一　感染症が防げるとした認識の誤り。

その二　恐怖を与え自粛を強要し、相互不信を植え付けた誤り。

その三　根拠が無いのに小中学校を全国一斉休校にした誤り。

その四　検査を多く行うことで感染者の分離・隔離をし、一方非感染者の行動制限はやらないという方策を採らなかった誤り。

その五　感染者にnegativeな印象を与え、差別、中傷を防止できなかった誤り。

その六　ＧｏＴｏキャンペーンと感染症防止が両立できると強弁した誤り。

2020／10／1記載分　後述「コロナ日記」から転載・抜粋

東京からのＧｏＴｏキャンペーンが始まったところで中間総括。

最初に新型コロナが始まったとき「この感染症の拡大を許してはならない。なんとしても押さえ込まなければならない。皆が協力すればそれは可能だ」という政府、東京都の方針は誤り。

新型コロナはそれまで無かった新しい感染症で、正体も分からない、治療法も分からない、したがって「新型コロナを押さえ込むことができない」というのが正解。残念ながら感染者がある程度出て、死者も多数になるのは歴史的必然なのです。

慌てた政府は感染症の専門家に助言を求めた。専門家によらずとも、感染は人と人の「接触」によって伝播するのは明らか。接触を一〇〇％なくせば新型コロナを押さえ込むことができるのは自明の理。しかし、人と人との接触を止めれば経済が死に、文明も滅びる。

かつて交通戦争といわれ、年間一万五千人の死者、怪我を含めれば数万人の被害を出しても自動車を止めなかった政府が、八割の移動自粛、全員の自宅待機を要請したのは驚きです。思いのほか日本国民はお上の指示に忠実に従いました。その結果、多くの商店がつぶれ、観光業者が苦しみ、航空業界は瀕死の状態です。それほどの犠牲を払ってもコロナが治まる気配はありません。このやり方は間違いだったと言えましょう。

ではどうすれば良かったのでしょう。感染症の原則にならい「早期発見、分離・隔離の徹底」しかありません。ところが厚労省の役人が考えた方法は、法律の立て付けから感染者は全員病院に収容せねばならず、医療崩壊を避けるために、重傷者のみを検査収容して、軽症の感染者はいなかったことにしよう、ということでした。

自粛を要請する手法も問題です。「コロナは怖い病気です。移されないように自宅にいてください。人に移すのもいけないことです」。

かように恐怖と不安を与えて人々の行動抑制を図ったのです。若い人の行動抑制がうまくいかないと「若い人が感染しても軽症で終わるといわれていますが、それは間違いです。脳梗塞を起こした人がいます」「家に持ち込むとおじいちゃんやおばあちゃんに移して大変なことになりますよ」。脅かされているようだ。

恐怖に加えて相互不信、これでは生活が全てに渡って萎縮してしまいます。

私ならこう案内します。「新型コロナウイルス感染症（正式名称covid-19）が流行しています。人から人へ接触、対面による会話などを通して感染します。もしあなたが感染してもあなたにはまったく非がありません。疑わしい症状があったら進んで検査を受けましょう。陰性なら今までと同じ生活を続けてください。不幸にして陽性なら症状に応じて入院、ホテル等に隔離させていただきます。陰性になったところで元の生活に戻れます。費用は無料です」「感染者をネガティブに捉えてはなりません。彼らはコロナと戦う戦士です。戦いに勝利して戻れるように祈りましょう。戻れば後方部隊で支援してもらいましょう」

お上の強い要請はそれに従わせる強い同調圧力を呼び起こす。自粛警察、マスク強要、店への張り紙による閉店要求、感染者への転居要求など。

「三密」回避の要請も妙な話ではありませんか。政府が検査数を増やし、感染者の早期発見、感染者の分離・隔離をしてくれれば、残った非感染者は従来通りの生活ができるはず。自分たちのやるべきことをやらず、一般人に「三密」回避を強要し、感染するのはあなた方が不注意だからですといわんばかりのやり方は責任転嫁ではないですか。

「三密」といえばオリンピックは三密の極地ですね。同時にやる必要のない大会を同時にやり、一個所に集める必要のない大会を一個所に集め、さらに普段は熱中症を避けて真夏の運動はやめましょうと言いながら真夏に大会を強行し、三〇年以内に七〇%の確率で起きると言われている直下型地震のリスクにまで目をつむり、そうまでして何でやるんでしょうね。自然が人間の都合に合わせてくれるなんて絶対にありえないことは今回の新型コロナで十分に認識したのではないですか。欲が絡むと人間なんでもしますね。

早期発見、分離・隔離は個人の責任ではなく、行政の責任でしょう

小中学校の全国一斉休校も、アベノマスクの全戸配布と同じく噴飯ものと言わざるを得ません。権力者の腐敗のひとつは批判を嫌い、心地よい取り巻きだけを配し、情報はそこからしか受けず、指令も取り巻きを通じて「上意である」と伝えるだけ。そんな中で起きた必然的ミステークといえましょう。一般的にクラスの中の一人が感染を起こしたらクラス閉鎖、他のクラスに発生したら学年閉鎖、複数学年では学校閉鎖、複数校では市内閉鎖といくのが納得がいくやり方でしょう。何の根拠もないのに、全国一斉とは、学校なら実害は少なく、効果が大きいと踏んだ政治的判断だったのでしょう。

唄と拍手で医療関係者に感謝を伝えることが一時流行ましたが、軽薄のそしりを免れません。もし本当に感謝しているなら彼らの給料を十倍にしてあげてください。十倍が無理ならせめて二倍にしたら、感謝を実感できます。病院の中でもコロナに従事している人は貧乏くじを引き当てた人と言う目で見られています。もし給料が二倍になれば応募者が殺到して花形職種になります。これが本当の感謝です。

もともと社会に蔓延する病気を医者に治してというのは期待過剰、病院で受け入れた患者を救

うように努力するのが医者の仕事、病院の入口までは医療行政、つまり政府や都の責任です。医療崩壊と言う言葉も気に入りません。正しくは医療行政の崩壊ではないですか。何でもかんでも医療関係者の責任みたいにいわれたくないですよ。自分を犠牲にしても患者のために尽くすのが医者の使命なんて考えている人がいたら即刻改めてください。医療関係者は皆さんと同じ労働者です。

感染症の抑制とＧｏＴｏキャンペーンが両立するわけがありません。経済を殺しかけているのに気付いて、あわてて方針変換を図りました。幸い死者数も思ったほど伸びず、病院にも多少のゆとりが見られる今しかないという判断でしょう。少々感染者、死者が増えても、何とか乗り切れそう。今見切り発車をしないとオリンピックなど夢のまた夢。観光業も考え、外国人の入国制限も緩めよう。

最初恐怖を与えておいて自粛をもとめ、今度はお金で釣って出かけさせようというのは国民を馬鹿にしているとしか思えません。自分たちの判断ミスを認め、恐怖、不安を解消すればお金など出さなくても国民は以前のように動き出します。ここで使った膨大な支出は誰が負担するのですか。若い世代は借金まみれに苦しむ将来の自分を今から覚悟するしかないでしょうね。

年寄りは少々お金を積まれても変わりませんよ。そんなことではだまされないぞと思うのが年寄りの知恵と言うものです。罹ったら死ぬと言われたから、旅行も食事も、おしゃべりの会にも行きませんよ。家に閉じこもって認知症が進み、体が弱って寝たきりの可能性もあるかもしれません。もしそうなったら、どうしてくれるんですか。

2020／11／11　後述コロナ日記から転載・抜粋

北海道に第三波が来たかもという報道を受け考えました。「早期発見、分離・隔離」が必須ですが、なぜか国の方針が遅々として進みません。

そこで提案です。もう別の誰かも考え付いているとは思いますが、今の段階で感染者の分離を少しでも進めるように〝陰性検査証明カード〟を発行します。唾液によるＰＣＲ検査をした日付、検査機関名、検査結果を記入したカードを持ち歩き、二週間以内の陰性なら食事や観劇、映画などすべて一割引のサービスを受けられるというものです。これで規制のない元の生活に戻れます。

別に補助金も要りません。お店は一割引いても以前の状態に戻れるなら喜んで参加するでしょう。非感染者だけ入店を認めるという方針を採る店が現れるかも知れません。

提案します

昨年の十一月に右記の文章を「コロナ日記」に掲載しました。誰でも考え付くことなので、どなたか具体的に始める人を待ち望んできましたが、誰もやりません。本を発行するまでに誰かが始めているとは考えましたが、付け加えることにしました。

【新型コロナ陰性検査証明書を提示、お店で一〇％割引を】企画書

〈主旨〉
新型コロナ感染者のＰＣＲ検査を広め、あわせて店舗を救済する。
〈キャッチコピー〉
陰性検査証明書で一〇％の割引を

〈事業内容〉
県への働きかけ　管理主体になってもらう
検査事業者の選択
証明書の発行依頼

参加店舗への働きかけ

県による募集

県による公告、検査事業所の募集、選定、許可番号の付与、各市町村への実務の依頼

別記〈検査事業所の募集要項〉―省略

別記〈許可証〉―省略

検査事業所

〈法的検討〉

体温を正確に計測しますと言う業者がいて、計測して、その結果を証明書にして手渡したときの法的問題はあるか。多分何の問題もない。

今回の新型コロナ陰性検査証明書発行の事業はそれと同様であると考えられる。弁護士などによる検討が必要である。

〈精度に対する批判〉

精度が九五％のとき、正確さに対する批判があれば、ファイザー社のワクチンが九五％の効果をもって大歓迎されるのは不思議。しかもワクチンは数回続けて打つなどはしないのに、検査は続けてやれる。

〈早急に事業を進めなければならないためのスキップ〉

試験的に、既成の××工務店グループに依頼して、証明書を発行する仕組みを急いで作ってみる。

新 型 コ ロ ナ 陰 性 検 査 証 明 書

許可番号　112130001

検査機関の名称　岩槻市コロナ研究所

検査実施日時　　2021／03／10

検査結果　　　　陰性

以上、証明いたします。

埼玉県岩槻市本町1-1-1

岩槻市コロナ研究所　所長　岩槻　一郎　　印

証明書の雛形と注意事項〈案〉　（上図）

（注）裏面に記載

・この検査は新型コロナ陰性を証明するものではなく、検査の結果が陰性であることを証明するものである。

・検査の精度は１００％ではない。

・検査後に感染することもありうる。

・検査結果を修正したり、削除したり、他人に貸すなどの不正行為はやらないでください。

・陽性でも保健所等への連絡はいたしませんので、各自の判断で医療機関を受診願います。

お知らせ
新型コロナ陰性検査証明書を持参された方に当店で飲食した料金の割引をいたします。
但し　検査日が7日以内の方
割引率　全商品の10%
レストラン　一般のレストラン

店側の準備

この実験的事業に参加するかどうかはすべてお店の判断とする。

〈案内文の一例〉（上図）

〈店への注意事項〉
・検査日以降の感染もありうるので留意する。
・証明書を持つ人と持たない人を分離する。
・従業員も定期的に検査をする。

〈店が独自に決める場合〉―省略
割引率やその他の条件はお店の判断で決められる。

〈証明書を持つグループと持たないグループ〉
証明書を持つグループと持たないグループが混在する店では、二つのグループを別の部屋に分けるか、距離を置いて間にパーティションを置く。

他方、証明書を持つグループは原則自由、二四時間飲食ができる。感染者でもなく、コロナの病人でもないので手指の消毒、マスク等を強要されず、憲法で保障された職業選択の自由、言論の自由、表現の自由、集会の自由、移動の自由を享受できる。なおかつ一〇%の割引が受けられる。

〈非感染者だけ入店を許可する〉

店の判断で証明書を持つ人だけに入店を限定することもできる。その時は従来と同じ営業形態をとってもいい。有効とする日数、割引率や他のサービスは店の判断で変更できる。

〈一例〉（上図）

> お知らせ
>
> 当店は新型コロナ陰性検査証明書を持参し、陰性証明5日以内の方限定の入店をお願いしています。店内での規制はございません。原則自由です。
>
> 但し　料金の割引等はございません。
>
> レストラン　特別のレストラン

第二部　国家とは

第四章　国になる前の形・国家の起源

人は土から生まれて土に還るというが国家も土から生まれて土に還る。歴史を見よう、永遠に生き続けた国家などない。滅びては再生を繰り返している。あなたが今生きている国家もいずれは滅びる。国のはじめを見てみよう。

国ができるまで

人は生きてゆくために水と食糧は不可欠である

どこからか流れ着いた一団が水のあるところに集まり、食糧を探す。どのようにして食糧を確保するかが大まかな集団のあり方を決定する。確保できた食糧の量が十分でないと集団の人口が大きくなれない。子どもを生んでも、集団の人口を維持するだけになる。食糧が天候、自然災害などで枯渇すると他の地域に移動しなければならない。

最初の生きる形は採集を主とする生き方である。森に出かけて木の実を取り、根を掘り、小動物を捕まえ、魚をとる。楽な仕事でない。仲間で分け合う。

大きな獲物を狙いグループが組織される。何日もかけて部落に持ち帰る。総出で解体、料理する。まず、狩人に与えられる、次に妊婦、子ども、男、女、病人、最後に年寄り。あまれば保存がはかられる。塩漬けか干物か。

重大なもめごとがあれば長老による会議が開かれる。それでも解決しないとき、呪術師が招かれ、精霊の声を聞き決められる。病気も何かのたたりと考えられ、精霊の声を聞く。

自然は繰り返すが豊かな自然への期待や祈りが宗教や神を意識するかもしれない。感謝の祈りは祭りでも行われるだろう。

基本他のグループとの接触はない。しかし、食糧をめぐる争いはある。簡単な交易があるかもしれない。小さな集団の中での婚姻は健康な子どもが得られなくなるため、女性を交換する、女性を略奪することもある。

以上見てきたように狩猟経済では食糧のほか生活に必要なものを得る対象が森、林、海、川など自然が相手のため、共同して立ち向かう必要がある、獲物は分配される。食糧の保存はさほど重点を置かれない、子育ては周りの人が関わる、家族形態はゆるい。

新しい農業形態と個の発生

農耕は反自然の第一歩である。自然に対する反逆ともいえる。自然からそのままいただいてくるのではなく、自然に働きかけ、自然を加工すること、さらに、恐れ多くも自然をコントロールすることで必要なものを手に入れる。

アダムとイヴがりんごをたべて物事が始まったと言われるが、実は農業が始まって全てが始まった。もし農業をやらなかったら人類は不幸にならなかったかもしれない。自然を扱うやり方に個体差が生まれる。知恵があるものが他の人よりも自然とうまく付き合い、利用し、他の人よりも多くの結果を手にする。その収穫物が保存できないものならば多く消費できるか少ししか消費できないかの差だけれども、保存が可能なものならばやがてその差は無限なものとなる。

食糧の栽培方法が発見されると生活に変化が生ずる。グループから離れ、もっぱら同じ土地を管理する個人とその従者が生まれ、差異も生まれる。年に一回の収穫にあわせて、食糧の保存、分配が問題になる。土地の耕作は労働集約型になるため、もっぱらその土地に関わるグループが生まれる。

やがて土地の質の差（天候、水、日当たり、土質）、労働の質の差によって、生産物の良し悪し、生産高の差となってくる。過度に生産するものと、不足するもの。他人を使うものと他人に使われるものとが生まれ、生産物の蓄積に成功した者が更なる蓄積を重ね、やがて地域の有力者となる。村の中のもめごと、村と村のいさかいの調整者となる。

最初の入植者は誰の所有でもない土地で、水利、日照など最適の場所を占有できる。二番手以降は残された土地から条件のよい土地に入る。やがて土地をめぐり争いが生まれてくる。この土地で適当な所を見つけられない人は別の土地に移る。

幸運と創意工夫で収穫が上がり、余剰が生まれる。余剰を持つ人が持たない人を雇用する。大きな余剰が生まれれば自分は労働に携わることなく、指示監督だけに専念する。やがて指示監督を別の者に任せ、自分は都に住み、収穫のみをを手にできるようになる。広大な土地所有が大切な主要な課題となる荘園の形態が整う。

荘園

土地は自分たちが耕すところは自分たちの所有地だと自然に思ってきた。ところが村の発生とは別のルートで農地が発生する。暴力による土地の囲い込みがそれだ。ある日誰も住んでいない土地が突然誰それの土地だと宣言される。宣言された前と宣言された後では何も変わりがない。土地の囲い込みが行われた。そこに新しい入植者が知らずに来る。農業が順調に推移した頃、ある日役人がやってくる。役人が言うにはここは何々様の土地であるから立ち去れという、それがいやなら、税金を払えとのこと。一年後の収穫の頃、再び役人がやってくる。今度は屈強な若者を二人連れてきた。再度の税金の支払いを断ると、収穫した米を無理やり持ち去った。

また、そこに戦争で獲得した奴隷を送り込む。奴隷を奴隷が管理する。そのなかで比較的ましな人を管理人とする。さらにその管理人を荘園主が派遣した役人と兵士が支配する。年を経て数十軒の家ができた頃、役人が常駐し始めた。戸籍が作られ、住所、構成員、占有する土地の面積、課税額など確定する。貴族は都に居て、上がりを楽しむ。

物が蓄積されれば、外部から狙われる。それに対抗して農民の武装化が必須となる。リーダーが必要になる。この役割を占めることができた人は将来的に力をつけ、組織の中心になってゆく。生産性を上げるために、労働の組織化、役割の分化が始まり、富の独占、身分の上下、競争、貧富の差が生れてくる。上は豪農、下は下男、下女との階層化が固定されて生産物ともども自給自足の安定した地域が生まれる。

さらに発達すると地域における国が成立する。その契機は「戦争」である。まず森からの侵入者、食えなくなれば獲物を追うのと同じやり方で農家に侵入する。次に隣接する村、日照り、水害、土砂崩れなど自然災害に起因する飢餓があれば襲ってくる。戦いに敗れ村が崩壊する。

暫定であれ国境を設け、侵入者から王国を守る警備隊ができる。国を国たらしめるのは暴力装置の所有の有無である。王国は年貢を取り立てる。農工具を作る鍛冶屋ができ、牛馬を斡旋する博労ができ、農民の中から代表を選び、管理する役人につなぐ。役人は数カ所の部落を管理し、上からの命令、指示を与える。だんだんと統治機能が造られていく。

大家族制

農耕がはじまり、近しい血縁を核に家族が形成される。その形を決めるのは農耕に適した規模人数はどれほどかと言うことである。耕作面積は変われば当然家族構成が変わるし、逆に家族構成によって耕作面積が限定されることもあり得る。大家族は家族と生産と消費が一致している。子どもは近所の子どもと遊び、家の仕事を手伝う。年寄は体の許す限り仕事をするが、今や留守番と子守が担当になる。家長は家の細部まで目をひからし、決定し、指示を与える。母親は家の食事を整え子どもの世話をし、貴重な労働力ともなる。若者は仕事を覚え、父親を継げるように志す。娘は家の内外《うちそと》の仕事もし、母親を手伝い、習い事をし、嫁入りに備える。農地や仕事が十分あれば手伝いを雇うこともあるが、生産規模により人数が決まる。

> 農家出身の母親からの教え
> 食べ物をおもちゃにしたら駄目、罰《バチ》が当たる。
> ご飯粒を一つでも残したら駄目、腹を壊してもいいから食え。

部落

若い夫婦が幼い子どもを連れて家を出る。長男でないと家を継げない。今ある田んぼはこれ以上大きくできない。水があって近くに耕作地になりそうな土地があり、まだ誰の所有地でもない。道具は実家から譲り受けた鍬、鋤、わずかな食糧、種籾。実家といい関係であれば色々な援助が期待できる。とにかく頑張らないといけない。しくじって実家に戻れば下男、下女として働くしかない。そうやって家族が増え、暮らし向きも楽になる。

やがて、別の家族がやってくる。同じ実家からくれば、兄弟、親戚ということでいい関係が保てる。家族も外から見れば「家」となる。家と家の距離が大事になる。それぞれが垣根をつくり、テリトリーを明示する。近くであれば近所付き合いが始まる。わからないことは教えてもらう、余分に収穫すれば分け与える。子ども同士も遊ぶだろう。貸し借りもある。

しかし、引っ越してくる家族が親しくないと問題が生じやすい。お互いにうまくやっていくためにいくつかの取り決めが必要となる。いい距離感、お互いに干渉し過ぎないこと、助けあうこと。

さらに家が集まってくると部落ができる。寄り合い、もめごと、田植えなどの共同作業、祝い事、葬式、水の管理、収穫をまとめるなど多岐にわたる。

村

いくつかの部落が集まって村を作る。村は基本となる行政単位である。村長（むらおさ）を定め、上からの命令を部落に伝え、収穫を取りまとめ上納する。村ごとに上納すべき量を定め、村は部落に割り振る。部落は各戸から集めるが、出せない家では借り入れしないといけない。夜逃げする家も出る。餓死するしかない家はやむを得ず、娘を売りに出す。

日照りや、日照不足、水害の年は不作となる。村は領主に減免を申し出る。農民を見殺しにしては元も子もないので、認めざるを得ない。見せしめに村長を処刑にするかもしれない。

村内のもめごとは村内で解決する。部落から長老が集まり協議する。その決定には双方従わなければならない。盗みなどの犯罪には村八分などの厳しい刑罰が課される。

> 村八分
> 　二分以外の付き合いをやめる。
> 　二分とは葬式と火事。八分とは冠、婚礼、出産、病気、建築、水害、年忌、旅行。

村の生活は、そこに住む者にとってはすべてである。一生村から出ることなく終わる人生もあった。村から追放されたらそれは死を意味する。

農民は村の防衛にも当たる。村の暮らしから脱落した野盗が村を狙う。見回りは欠かせない。他の領土からの侵略戦争には農民も武器を手に参加する。農工具や武具を調達するために村の鍛冶屋が分業する。武器商人も出入りする。馬や牛を斡旋する博労（ばくろう）があらわれる。村では入手できないような衣類や装飾品を持ち込む商人も出てこよう。嫁入りのときなども特別需要があるだろう。いずれも購入する余裕のある農民が対象となる。

農民は食糧を何とか生産できても、そのほかに必要なものはある。鍋、釜などの生活用品。鋤、鍬などの農工具。塩、醤油、味噌などの調味料。夜具、灯油など。自身で用意できなければ市に出かけ物々交換か貨幣のようなものが必要になる。

村は守り神として鎮守様を置く。行事も村単位で行う。村祭りや雨乞い、豊作祈願、収穫の感謝。村祭りは若い男女が出会う格好の場である。新しい家族が生れないと村の発展はない。仲人みたいものもあるかもしれない。

地方の領土・豪族

土地所有から始まって数個の農家が集落をつくり、いくつかの集落が散在して村を作る。村民にとって村は風景が見え、人を感じることができる場所である。村の祭りは友人と出会い、知り合いと挨拶できる機会を与えてくれる。村はそれ自体、自給自足の完結した空間を持ち、交易や灌漑工事などを除けば国への統合の必然性はない。何を以って国に結集するのか。

ところが一方、国はなんとなくよそよそしい存在だ。国は村から米を奪い、労役を命じ、武装させ、戦争まで始める。だが敵が攻めてくるとの知らせがあり守りに就く。朝霧が消えていき、川の対岸の敵を目の当たりにしたとき、身震いをして国をリアルに認識する。命を掛けて土地や家族を守るんだ。

立派な兵士を育てるため、国は何をするか。軍事訓練と思想教育、それまで人殺しは悪いことと教えられたのが、人殺しは国のためになるといわれる。やがて立派な兵士が誕生する。国のために戦うことは家族を守ること、国のために死ぬことは家族のために死ぬこと。

村が集まって国を造る。外からの侵入者に対して体制を整える。優れた指導者がいればその指揮の下、果敢に挑む。敵を追い返し勝利する。指導者は賞賛され地位が固められる。今度は逆に前にもまして軍備を固め、以前の侵入者の地域に侵入する。大勢を殺し、財産を没収し、奴隷を連れて来る。そしてその土地を略奪する。

国の前の形

町

町の成立のキーワードは流動性である。自然に町が形成される。道ができ生産物資が運ばれる。同じ道で情報交換や最初のうちは生活物資が物々交換される。このようにして全国に道路網が整備される。町は一大消費地となる。あらゆる物資が集まり、いろいろな物資が町を駆け巡り、貨幣が流通し、また人も流れ込む。

掌握している地方の大小によって国力が異なる。まだ統一できるような国はできない。大きな国は小さな国を飲み込もうとする。契機となるのは交易である。言語の共通化、通貨の発行、戸籍の整備など。

地方の領土

王を頂き、領土とそこに住む人々を治める。

戦時には領主をたて農民まで組織し、戦闘体制を築く。だが戦争が終わるまでは中心であった軍事組織も平時にはむしろ厄介な存在となる。王は取り巻きの中から政策集団を組織し、国の運営を任せる。そして、そのトップこそ国の命運を握ることになる。

まず取り組むべきことは財政だ。国を豊かにし、安定した財政基盤を築き、蓄財すること。そしてその使い方、まず王とその血縁、軍人、官僚組織と役人、それらの固定費以外にどれだけ投資できるかが国の将来を決めてくる。灌漑土木、耕地面積の拡大と水の管理、治水対策、干ばつ、冷害への備え、新たな農作物への取り組み、教育への投資など。

通常の業務以外に、特別な事業が組まれる。城の増改築、神社、寺院などの築造。

生産力が向上すれば余剰の農作物が生まれる。商人を通じて、外部に出して、物々交換から貨幣経済へと道が開ける。領内で生産できないものを買うためにお金が必要となる。塩の交易も大切。

権力は腐敗する。役所は慣例が大事になる。役人はときには不正する。不正を監視する役所ができる。役所の管轄が村まで及ぶ。

平時は、農民は土地を耕し、収穫する。王の取り巻きは軍人と文官に分離する。文官は領民からの収奪と分配を受け持つ。平時が続けば、文官が徐々に力を増す。分配の権限を任された人が政策の中心となる。収奪は平等、公平でなければいけない。公平な収奪は不満、不平感を最小にとどめ、争いを避けることができる。

王は何人もの后を持つ。それは王が好色だというのではなく、王の血を引く後継者を作るためで、病気、暗殺などに備え複数、場合によっては隠し子をまでも作るのが国家、国民のためなのである。

王の支配を正当化するために、宗教を利用する。王こそ正義の代弁者である。王が正義とは何か発する。

国家の出現

このようにして巨大な一国が生まれる。ある程度大きくなった地点で日本を掌握したと宣言する。そして正義はわれにあり、われに背くは逆賊なりとして、次々と軍隊を差し向ける。こうして初めての大和政権が成立する。

さらなる支配の正当性を確立するため、血筋について物語をつくる。由緒正しい血筋は支配を継続するのが正しいと主張する。宗教も利用する。神が夢枕に立ちこの国を治めるよう命じたという話になる。

国の民は戦争によって国を意識する。負ければ、土地は奪われ、老人は殺され、若者は奴隷や兵士にされ、国は滅びる。戦争のとき、運命共同体を感じる。守らねばならない郷土も意識する。戦いに勝てば国に誇りを感じ、次の戦いに備える。なけなしの持てる資産を供出する。

武力による領土と民と富の支配

軍事的勝利の後は国づくりが始まる、軍のトップを含む最高決定機関が組織される。軍は強力でなければならないが巨大であってはならない。いかに軍の力を弱め、コントロールするかが主要な課題である。まず国を危うくする要素の除去、敵の残党狩りは根こそぎ行わなければならない。特に血縁の子どもは赤子にいたるまで取り除かなければならない。うらみは何年たとうとも変わることはない。引き続き武力による国内平定、戦利品の分配、知行地と直轄地に出先機関（代官所）の設置、道路の整備など。

国を取る目的は収奪である。収奪がいかに無理なく永続的に平均して確保できるかは国の基本となる。産業として農業が主要な産業となるが、ただ一方的に取り上げるだけでは農民は疲弊する。土地を与え、労働力を維持するに足る食糧を与え、労働力の再生産に必要な子どもを育てる家を作らせ、部落をまとめ、収納をスムーズにする村を組織し、それを管理する。

将来的に国を豊かにし、発展させるために治水、耕作地拡大、水路の整備、干ばつ、日照り、冷害、水害への対策のほか、地震、山崩れ、火山の噴火、津波などの自然災害に備えなくてはならない。

収奪とならんで国づくりの基本は分配の問題である。最高意思決定機関の構成員はまず自分たちの取り分を確保する。ついで王とその血縁者、軍事費、官僚機構と分けていく。ただし、これらは生産しない。消費する額が巨大になるとそれをまかなうために、収奪が厳しくなり国が疲弊する。消費を最小限に抑え、投資する分を確保しなければ国は縮小再生産の道をたどる。

事業としては城の修理、改築、武家屋敷を城の周囲に配し、敵の侵入に備える。家を建てるためにまず設計図を書き、山から木材を切り出し、運び出し、大工が家を建てる。労働者の宿泊場所はどうする、気晴らしの場所も必要。それぞれ専門職が生れる。国内でまかなうことができなければ国外に人材を求める必要がある。入国管理はどうする。

事業には資産が必要。税を増やすか、蓄えはないのか、なければどこからか借財をしなければならない。事業にかかわる商人からか、止むを得ず国外からか。そのためには財政に明るい人間を必要とする。

財政基盤を安定させるためには、まず農業を発展させないといけない。既存農家には作付面積の拡大、農作業の効率化、品種の改良、農機具の導入、馬牛の使用、収穫量の増大、米以外の作付け、そのための指導員の派遣など。あわせて新田の開発が行われる。新しい土地を開墾し、水路を整備し、入植させ、農民の組織作りまで、やらねばならぬことは多岐にわたる。

軌道に乗れば農業も楽しくなる、将来に希望が持てる、人口も増える、お祭りもやれる、鎮守の森に神を迎える気にもなる。死者も丁寧に弔い、お寺に埋葬でき、年に一度お迎えできるようになる。

自分のところで消費する以上の米があれば、月に一度立つ市で他のものと交換できる。塩や味噌醤油、油などの食料品のほか、お酒、農工具、寝具、衣類、装飾品、すごろく、かるたの娯楽品、タバコなどの嗜好品など。物々交換ではなく、まず米を引き取って貨幣に換えてくれる所へ行ってから買いものをするようになるかもしれない。やがて市の出品者から常設店に成り上がるものも出てこよう。

ある農夫が山に出かける。そこで山ぶどうの木に出会う。食べてみると甘い。里に帰って種を植えてみる。やがてぶどうの木は増えて、近所に配る。沢山取れたので、ためしに市に出してみる。それを見つけた町の商人が店に出してみたいという。評判良く売れたので、もっと大量に欲しいといわれる。近所の農家に声をかけて栽培してもらう。自分で集めるのが大変になったので、次男坊に仕事を任せる。次男は多くの農家を回り、集めたぶどうを商店に持ち込む。他の店からも仕入れたいとの申し込みがある。やがて、暖簾分けして店を持つようになる。空いた荷車を利用して、運送の仕事もやるようになる。才覚さえあればどんどん大きくなる。

材木を扱う材木商という商売が成り立てばこの商店は一代で財を成す。商売はこれにとどまらず、他の商売に手を伸ばす、山林を押さえ、運送業をやり、建築業もやり、終いには金貸業にまでやるようになる。

人材はどうする。武将の中から使えそうな人を連れてくる。王の取り巻きにも数人はいるだろう、不足する人材を広く人民の中から求めざるを得なくなる。選抜試験で人材を集めると同時に、将来にそなえて、教育機関も作ることになるだろう。それぞれの部署に配属された人たちは組織を作る。そのまとまった者が恒常的になれば官僚組織になる。

王も必死に勉強しなければ、最高意思決定機関についていけなくなり、浮いた存在と成り、判を押すだけ、権威だけのものになり、実権を奪われてしまう。最終的には趣味に走るか、女狂いをするか、ろくな人生を送れない。

最高指導者会議も軍事担当、財政担当、事業担当、農業担当など分担が分かれてきて、一人が全体を取りまとめることになる。やがてその人に権力が集中するようになる。

徳川家康の国づくり

徳川の治世を永続させるためにどのように国づくりをやったか興味のあるところである。家康は信長や秀吉がなぜ長期の権力機構を作れなかったか熟慮したに違いない。まず、政府の転覆を試みる豊臣勢力の一掃、協力の少なかった大名の配置換え、目付役を隣国に置いた。江戸の防衛に資するよう味方や姻戚のある大名を配置する。国を危うくするキリスト教を止めるため海外貿易の禁止。

反対派を軍事的に抑えるだけではなく、経済的に締め上げる方策が採られている。築城や河川の改修、道路整備などを指示した。参勤交代で費用を掛けさせ、妻子を江戸に留め置き忠誠心を示させた。謀反の疑いがあれば改易。配置替えも度々行い地元との結束を弱めた。

争いを避け、内部を固めるため、長子相続を定め、尾張、紀州、水戸の御三家のみが徳川を継続できる血のつながりによる権力の独占を決めた。

将軍の血のつながる後継者の確保は重要です。子どもを多く作れば、後継者以外は地方に配置し、女子は婚姻関係を通じ親戚関係を作る。スパイの機能も果たせる。いわば将軍は種馬です。一般の男にとって羨ましいようで、羨ましくないような立場です。狩猟に似て、男は武器を調え、獲物を探し回り、殺す算段をして、最後に狙った獲物を獲得する。これで男の達成感が満たされるのです。あてがわれた獲物ではさほど楽しくなかったのではと言う気がします。

中心に数名の老中をおき、集団指導体制をとった。此の下に若年寄、目付、奉行など部門別に担当者を定め、その下に役人を配置した。

農民は厳格に管理され、国の基本となる米を生産した。武具や農機具を生産する工業者やその流通と販売を受け持ったのが商業者である。

流通の発展に伴い、商業者が力をつけていく。やがて、権力者は無視できないほどになり、いろいろな形で権力に食い込んでいく。

生産力が徐々に増すとともにあらゆる分野も拡大を始める。道路網が整備され、輸送手段も発達し、輸送量も増える。町の人口が増加し、職種が多様化し、農村で吸収しきれない余剰の人口が町に流入する。新たな産業が生まれる。町が物資の集積地、発送地となる。

官僚の組織は社会の拡大、複雑化につれて巨大、綿密な組織になる。たとえば社会は道路の整備にあわせて、物々交換から、市が立ち、常設の商店が集まって町になる。道路の発展と共に、物資の輸送手段も多様になる。人力に頼る輸送から、牛馬、荷車、河川の舟の使用、やがて海洋を大型船を使っての大量輸送となり国外まで視野に上る。

物々交換の時には必要なかったが、交換が盛んになるにつれ、鋳貨を媒介にするようになる。信用経済も生まれてくる。A商店がBから大量の品物を買う。A商店は鋳貨の変わりに証書を発行する。Bはその証書をC商店に持ち込み最初に持っていた品物と同等の価値を持つ品物を得る。信用経済が発展すれば両替商が生まれ、江戸で預けたお金を大阪で受け取れるようになる。両替商はやがて銀行に発展する。

時代劇に見る階層

将軍

大奥
老中　大老（臨時職）
若年寄
町奉行
与力
同心　三〇俵二人扶持
目明し、岡っ引き、下っ引き

庶民の暮らし

町役人
町年寄（奈良屋、樽屋、喜多村）
町名主
町人
商人
　流しの行商人　ぼて振り
移動販売　屋台

店

大店

工業

自給自足、家内手工業、専門の工場、軽工業

農民

収穫を取り合う割合　四公六民

財政

剰余金の行方

消費を拡大させるか　一時的には現金の流通が増し、景気が良くなる

投資するか　種籾を買い、畑にまけば翌年は収穫量が増える

貯蓄するか　景気の落ち込み、災害などに備える

金融

決済が米から貨幣、現金、証書へ。過剰な支払い、一部貸付、利息の発生

お金自体の商品化

全て米にて交換が可能だが、米の換金と札差

両替商

元手の貸付、回収（行商　一日の利息一％で元手を借り、商品を仕入れ、夕方に返金）
多量の米は移動が大変、保存、腐敗、正確な計量などの問題があり、それらの欠点を克服でき、いつでも米に変わりうる代用品が「信用」である。信用を担保するものとして貨幣、硬貨、紙幣、証書など、やがて両替が発展すれば信用そのものが売り物、商品となる。

手工業

冬場の家内手仕事、農機具の自作から需要の高まりから専業化
地場産業、染物、漆器、陶磁器、綿織物、醸造業

産業

鉱山の採掘、漁業、山林の管理
庶民の娯楽

第五章　国家の構造

国の萌芽《ほうが》、国どうしの戦い

国が膨張してくれば他国との接触がいさかいとなる。二つの国の力が圧倒的に違っていれば弱小な国は戦わずして敗北を認め、恭順の意を表し、臣下となる。戦争が始まる直前か始まってすぐなら、敗北を認めた国の領主とその血族、部隊のトップの首を差し出せば、領民と統治機構はそのまま残る。

徹底抗戦となって敗北すれば国が滅びる。支配層と軍隊はすべて殺され、土地は奪われる。領民は一部を除き、奴隷として他の荘園に移動させられる。領地はよく働いた部下に分け与えられる。国同士の戦いとはつまるところ、領土と領民の奪い合いと言えよう。

兵士たちが戦場から凱旋して民衆の声援を受けながら城に入る。戦勝の祝いと慰労の宴がもたれた翌日、呼び出しがあり、戦後処理の会議がもたれる。

権力の所在

王が軍隊を率いて戦ったのなら当然、王が権力者の位置にとどまる。権力者は全てを決定できる。時に権力者は自分を神のように感じる。全能の神である。しかし、人間が神であるわけがなく、そのように感じたときから滅びの序章が始まる。

権力の意思決定機関

王は取り巻きの有力者の中から、数名を選び、御前会議を開く。もちろん軍の将軍が入るが、有能な行政官にお株を奪われる。行政の要諦は収奪と分配である。

軍との関係

武器の修理と同時に不満が生れないように注意深く、論功、賞罰が行われる。ボーナスのようなほうびであれば一時的出費で抑えられるが、役職を新設すれば固定費が増大する。役職が不足していれば、わずかなミスでも罷免させられる。この厳しさは引き締め効果も生む。

軍の人事を部下の一人に任せれば、その人は当然発言力を増し、いずれは国王をしのぐ力をつけることになる。

戦後の軍の扱いは微妙である。戦争に勝利するために必要な軍も平時には不要であるばかりか、権力を危うくする最大勢力となる。指導者が将軍の中から選ばれる。世の中を動かすのがもはや軍事力ではないとの認識を持てる将軍がいれば最適だが。選ばれないものは不遇をかこつ。

権力者は目に見える。しかし権力は目に見えないし、感じるだけである。あたかも、物の重心はあることが確実だが見えるものではない。権力者は権力を握っているようだが、一発の銃弾で権力とは無縁の骸《むくろ》となる。権力はどこに行った。殺戮者のところか。彼もすぐに処刑される。権力とは皆のものに方向を指し示し、希望を与え、まとめる力のことか。戦場で敵を殺せと叫んだときが権力か。自分の身の回りの者を次々に処刑したときが権力か。

軍隊による暴力が生の暴力だとすれば、権力は目に見えない暴力といえる。人々は自分の意思に反しある方向に動かされていく。自分の生存を守るためには動かざるを得ない。

ときに権力は希望であり、未来を指し示す一条の光ともなる。ときに権力は暴力を感じさせるこわい存在になる。きっと悪ともなる。権力者の末路には死のにおいがする。

軍事、権力、権威、政治

軍事は暴力そのもの。権力は潜在的暴力、暴力の可能性を背景に出される指示。権威は暴力を隠した、暴力を抜いた権力。政治は権力をめぐる駆け引き、誰が権力を握るのか。

権力を誰が握る

人間の社会も動物の社会も同じこと。砂漠で苦労してとった獲物を横合いからより強い動物がやって来て自分たちが食べ子どもの分を持ち帰り、少しを残して立ち去る。略奪と分配。群れの中でボスでとどまる限りメスが集まってきて自分の子孫を残せる。しかし、老いや病気で力がなくなると若いオスにボスの座を奪われる。殺されるか群れからの追放が待っている。権力の争奪戦。

国家を形づくる主要な要素

権力

権力は国の方針を決断し、一定方向に民を強制する力。権力には絶えず暴力がその行使を後押しする。権力から暴力がなくなれば権威だけになる。

権力の中心は移動する。権力者の取り巻きの一人に、軍事機構に、時には官僚機構へと移動、権力争いは止むことはない。政治とは権力の取り合い、権力をめぐる秩序の形成。

権力の源泉

権力を語るとき、すぐに権力者を語り始める。しかし、そもそも権力はどのようにして生まれるのか。たとえば、大規模な自然災害に見舞われたとき民衆はなすすべを知らず、恐怖、不安に襲われる。どうしたらいいのかそれを知りたい。そんな時、神と交信できる霊能者が現れる。神の啓示が訪れ、民衆の進むべき方向を指し示す。民衆は神に感謝し、次の指示を待つ。こんなとき、神に代わり正しい方向を具体的に指し示す現人神が現れる。権力者の出現である。

組織における権力の源泉

組織の中で激しい武力闘争、政治闘争が繰り広げられ、勝者が権力をにぎる。これを裏打ちする暴力装置の存在。権力者を支える取り巻き、側近と共に、財政、人事を通じ、組織の強化と権力を危うくする反対派の除去。

物体に重心があるように組織にも権力の中心がある。状況によって移動するようだ。軍事を掌握している人が権力の中心にあり、やがて政治の中心、経済の中心、情報を握る人が権力の中心を掌握するようになる。

政治

政治は権力の調整、権力に近づくための小競り合い。序列の形成だが、権力そのものの奪取とは違う。奪取なら内乱とかクーデターとなってしまう。権力にとって犯罪は気にしない。犯罪は体制そのものを変革しようとするものではない。もし体制の転覆を企てるものがいれば、公安や軍隊の出動となる。

収奪と分配

収奪と分配こそ権力の中心をなす。

支配者とその取り巻きは収奪の果実を分け合う。そして、この収奪と分配が永続することを願う。そのためにはまず軍事力の整備、収奪の法制化、制度化、事務方の整備やがて恒常化して官僚が誕生する。

任命権

権力者は任命権を駆使して与えることも奪うこともできる。人事は支配の要である。誰を取り立て、誰を罷免するかは権力者の胸先三寸といえる。権力の中枢に近づけば近づくほど権力の委譲と多くの分配に預ることになる。

後継者は誰だ

内部での争いになる。前任者が後継者を指名すれば比較的スムーズに移譲が進むが、突然死ぬと混乱する。血筋、能力など、誰もが認める人物がいればいいが、複数の候補が争えば凄惨な現場となる。一人に決まるまで血を見る。一人に決まれば敗れたものは殺される。

国の統合（国を支える力）

国はできてきたもの、つくりものだから消えてしまうこともある。自然災害、疫病、外部からの侵略などの外的要因だけではなく内部崩壊もある。できるだけそれらの要因を取り除きつつ、強固に固めるため種々の方策が図られる。

権力者にとって最後の拠り所は暴力装置としての軍隊、警察です。これさえ自由に使えたら怖いものはありません。

権力を奪取した支配層はあらゆる分野、人事権、予算、教育、福祉、医療、軍事を通じて支配を貫徹する。

まず取り組むことは、暴力装置の整備、武器の調達、反対派の排除。

近親者ほど権力を握るまでは頼りになる存在ですが、権力をとった後、その地位を脅かす可能性が最も考えられる存在にほかありません。

真っ先にやらなければならないことは財政の基盤である収奪の制度的構築、農地の検地、等級を定め、収奪の率を納得できるものにして、納付場所、時期、納付方法、集積場所、換金、分配の方策、財政の問題、まず支配者とその家族、取り巻き、軍事のための支出、役人の給与、余裕があれば新しい分野への投資、福祉など。

統治の正当性

「神の遣わせし始祖、我こそは何々の子孫なるぞ、そのほう頭が高い」

国の始祖からの支配の継続を正当化するのは「血の連続」である。始祖が末永く国の繁栄を願うなら支配者がしっかり国を治めることがなによりも肝要である。複数の跡継ぎ中で争いが起きることを避けるためには、長子に限ると決めればよい。能力差というのでは争いの元である。

支配のために軍隊はどうしても必要なものではあるが、維持するための人的、経済的負担は相当なもので、できれば少なく済ましたい。宗教は利用の仕方によっては支配の安定に資する。宗教は民の信仰心を利用して、権力が歓迎する物語を紡ぎだす。人のものを盗み、強奪し、殺せば犯罪となり罰せられる。しかし同じ行為が国家という権力を通せば、合法となり時には正義となる。マジックである。何が正義かは国が決める。

政府による新型コロナの自粛要請に国民があまりにも従順に従ったのにはびっくりしました。多分、日本の自然災害があまりにも多いのであきらめて従う気質が染み付いてしまっているのかもしれないと考えました。

身分、血統を重視する人

人は生まれながらにして就くべき立場が決まっている。誰もそれには逆らえない。皆それに従って生活すれば世は泰平だが、与えられた身分を不服と思うものが現れれば世は乱れる。

階級

社会の階級を形づくる要因はいろいろ考えられる。出自、血統、財産など。学者の中には生産手段の私的所有によって社会階級が分かれるといわれたが、私の長い人生経験によれば、「頭のよしあし」が決定的要素ではないかと想われる。どんな状況にあっても頭のいいやつは何とか浮かび上がってきたし、財産があっても頭の悪いやつは財産を失う。

頭のいい人はその幸運を私利私欲つまり自分の欲を満たすことに使うより、他の人のために使いましょう。それでfifty-fiftyではないですか。

誰が主権を握るのか
階級、マルクスによれば生産手段を持つ階級が支配階級となるとのことだが、そんなものでしょうか。

わたしは頭のいい人が頭の悪い人を支配しているように思えて仕方がありません。

今ほど能力差が差別の正当な理由と思われている時代はありません。

氏育ち、地縁、血縁などによる差別は弱まり、能力による学歴、資格、獲得された社会的地位や財力は正当な競争の結果だということになります。

頭のいい人がいい生活をしているのは頭の悪い人の犠牲の上に成り立っています。白々しくも正当な努力の結果だと嘯《うそぶ》いています。

宗教
権威の確立、神格化。
既存の宗教のうち、勢いのあるものを選び庇護する。その宗教が神の意思として支配者の支配の正当性を保障すれば支配は一層確かなものになる。

個人の側からの宗教

しかし、信仰は別だ。日々の生活のなかで生きる意味を与えられ、心安らかに暮らしていけるのも神のおかげだ。

個人の側からみれば、宗教の核心は「ひたすら信じる」ことにある。すべてを神にゆだね、神の意思を聴いたり、探したりすることの中で神に近づくことができる。しかるべき人に神のお告げがあったといわれればそれに忠実に従う。厳格に守れば守るほど自己をなくし、すべての判断を神にゆだねることとなる。

ある宗派だけが絶対に正しいとなれば、異教は滅ぼすべきもの、邪教を砕き、正しい神の教えを広めることは神の意思に沿うものとなる。自分の信じる神が他の宗派の上に来ると思えば差別が生じてくるのは当然の流れでしょう。暴力すら正当化されてしまいます。

宗教それ自体

私は、神は存在しないと思う。しかし、いるかもしれない。信仰している人はいると言う。彼らの究極の目標は神である。他人から神への信仰を強要されたり、神にひれ伏すように求められたら神は暴力のシンボルになる。

しかも、別の神が居るらしい。二人の神が居るというのは論理矛盾である。どちらかが偽者に違いない、偽者は滅びなくてはならない。一方が消滅するまで無限の終わりのない戦いが始まる。神の名の下でどれだけの多くの人が死ぬのだろう。

宗教のちから

宗教者は頑固者です。敵対者にすると手ごわい。味方にすると心強い。国の宗教として承認して味方につけようと考えるのは自然です。宗教があまねく国内にゆきわたると、秩序と平安がもたらされます。神の啓示は絶対です。絶対に修正はありません。受け入れるか拒絶するか二者択一になります。受け入れれば安静が訪れ、神のために生きる生活が待っています。信仰を脅かす要素はすべて排除されます。

王は自分の地位を安定させるために、信仰に帰依します。時には自分と神を一体化するまで高めます。王の言うことは神の言葉です。王の姿は神の姿で、恐れ多くて見ることもできません。

地震や台風などの自然災害で宗教施設が簡単に壊れてしまうと、神も仏もないものだと感じてしまいます。自分を守れない神仏が他人を守れるわけがありません。それなのに宗教が栄えるのはそれを必要としている人々がいるためです。弱い人間が強いもの、確かなもの、絶対的なものに頼りたくなるのは当然です。神を絶対的存在として受け入れてしまえば、後は神の意思を感じてその通りに動けば不安や迷いとおさらばです。

権威

権威はあからさまに暴力を伴うことはないが人を従わせたり、動かしたりすることができる。権威は権力ほど暴力を表面にちらつかせない。生の暴力に拠らないで統治ができればこんなよいことはない。

権力は暴力と密接に結びついているが、権威は権力から直接的暴力をひいたものといえるが、歴史的経過、伝統、文化的背景を持ち、時には権威は強制力を感じさせる、宗教的畏敬を抱かせるものともいえる。しかしそれを無視したり、気にしたりしないものには無力である。

権威の確立、神格化

暴力に拠らない分、権威の確立には用意周到さが必要になる。まず出自、身分、歴史による裏付け、重々しい儀式、時には宗教者の参加により神のご加護も得る。かように権力を支えるいろいろな仕掛けのひとつといえる。

天皇制

天皇が統治する時代には物語が生まれ、武士が統治するときは天皇は権威をもつ。天皇には暴力はない。暴力を失ってからは権威を維持して生きるしかない。官位を作り、それを切り売りして生き延びる。官位を持たない者が権力に挑戦すれば、すぐに反逆者となる。世の中が乱れれば、権威は無力になる。

歴史

誰も過去のことははっきりしない。そんな時、学者が過去がこうだと言えばそうなのかと思う。確認の仕様がない。歴史は今の権力がいかに歴史的に見てまっとうな権力かを証明するために作り出される。

僧侶、学者は時代がいかに正しいものか学問的に立証する。

学問

政権が安定すれば、学問のほうからすり寄ってくる。いろいろな分野から現政権の正当性を立証する学問が生まれる。学者の一部は教育も担当する。教育を受けたものは進んで時の政権を支える官僚となる。

政権に批判的な学問が生まれてくる時は政権にほころびが生じ、腐りかけているとの証《あかし》である。

教育

教育は権威を拡大再生産する。

教育は国の将来です。教育の中身を見れば、国がどのような人材を欲しているのかがわかる。

権力を握る人はそこにいたるまで暴力や嘘を重ねてきたが、権力を握ったとたん人に正直であれといってくる。道徳は治安をもたらす安価な方法の一つである。正義の中身は権力が決める。権力がこれが正義だといえばそれが正義であろう。権力者がカラスは白いといえばカラスが白く見えてくるのです。認めさせられる人は屈辱と無力感を感じます。

義務教育について誤解があります。子どもが学校に行かなければならないという誤解です。正しくは「学校に行きたい」と子どもが言えば親と国は学校に行けるように環境を整備しなければならない義務があるというものです。これは子どもの権利です。もし子どもが「学校に行きたくない」と言ったら、強制することはできません。学校と親が義務だからと子どもを追い詰めることはやめましょう。

娯楽

直接生産に関与しなくともその存在が労働者に憩いを与え、精神を鼓舞し、明日への活力に資するならば必要なものとなる。少しのゆとりが娯楽を生み、娯楽が更なるゆとりを生む力になっていく。

芸能

日々の労働の中から収穫の喜び、収穫物を神に奉納し、踊りをして、喜びを表す。共同作業の楽しさから唄が生まれ、労働のつらさ、農作業は一年を周期としての繰り返しです。一年の初めは、陽が最も短い冬至から陽が長くなる適当な日を正月と定め、一年間の幸あれと願い、お祝いします。年間の行事をアクセントとしてつらい労働に耐えていけました。田植えは重要な行事です。夏には先祖が戻ってくるお盆があり、先祖供養をします。生活と一体となって年中行事として行われます。

芸術

庶民には芸術とは無縁で、社会の中で富裕層が生まれ、たしなみから始まる。文学、書、音楽、詩歌、画など。個人的、社会的にゆとりがないと生まれないという意味では生活に必須とはいえないが、その時代を端的に表現するという意味では重要である。しかも文学、小説、音楽などはそれぞれの人の人生を変えてしまうような影響を与えることもあるので重要な存在ともいえる。

福祉

福祉によって社会的不安を少しでも取り除きたい願望がある。福祉にお金が回るかどうかは社会のゆとりがどれだけあるのかということに帰する。もし社会にゆとりがなくなると、配分が狭まり、社会不安が増してくる。

戦後日本の福祉政策は破綻しかかっている。老人が予想以上に長命なためだ。医療は半病人を量産している。介護は大変で、一人を介護するために一人の労働力をまわさなければならない。

老人が減少するまで耐えるしかない。誰が親の面倒をみるかは、難問だ。親の面倒をみることが負の遺産として、親の面倒をみる人にすべて遺産とともに渡すべき。今の民法では子ども全員が等しく財産を受け取り、等しく親を扶養すべきなどと言っても、人は欲で動くので、親子の情で面倒みろなどと言われても動くわけがない。

> 優生保護法による断種、出生前診断、相模原の殺傷事件など根は同じ。社会に迷惑かけるだけの人は生まれてきて欲しくないということです。

医療

はじめは祈祷に始まり、薬草、せんじ薬などの民間療法が主で、施術院などの専門家が現れるのは後のほうであり、最も必要とされるのは軍に付き添う医務隊であり、そこでの技術が民間に流れることはありうる。ここで分かるのは医療は国民の福祉のためにあるのではなく、社会防衛が主な任務であるということだ。

兵隊を修理し戦場に戻す、労働者を治療して職場に戻す、子どもは社会を担う将来の労働力、さすれば老人はなんだ、やたらに医療費を使い、医療制度を崩壊に導く。社会福祉の観点からは老人にも手厚くせねばならないが、どこまで社会が辛抱できるのか。

福祉と医療はこの先大丈夫なの

医療の進歩は医療費の増大と、社会福祉の費用の増大をもたらした。介護は労働力の家庭への回帰を求める。社会は費用の増大にどこまで耐えられるのか。高齢になっても働き続けて税金を払い、年金の受給はあとに伸ばして、働けなくなったらすぐに死んで欲しいというのが国の願いということだろうか。

統治機構

奪取された権力は変質する。

正確には、どんな理想を掲げて権力を奪取しても権力を維持しようとする過程では変質する。理想は最初だけ、やがて単なるスローガンだけになる。

権力者を支える官僚の発生

度重なる戦争を経て最後に残った国にも比較的穏やかな時が訪れる。国は次の戦争に備えなければならない。祝宴をあげていてはいつか滅ぼされる。兵の一部は郷（さと）に帰り、農業に戻る。まずやるべきことは兵器の修理、新しい兵器の開発、戦略戦術の研究、情報収集、スパイの配置など。

余剰になった兵士は武器を収め、国の管理に向かう。軍は組織として完成された形態をしているためすぐに転用ができ、優れた役人の組織ができる。物資の徴用、保管、運搬、命令系統の整備、情報の収集と分析など国のトップの決定事項を具体化し、指示を明確にして下に伝える。さらに指示内容が着実に実行されていくように監督する。庶民をうまく監督できるのは庶民の中から取り立てた役人である。

支配を国の隅々まで行き渡らせるために道を作る。所々に役所を設ける。さまざまな分野が発展するにつれ国の介入が強まり、役所も組織化、巨大化していく。やがて官僚組織ができる。治めるべき人民がいる限り、支配者が変わっても官僚組織は生き残る。文書主義、セクト主義、組織大事、責任回避、前例主義、身分制度による役職の確保と永続願望などを特徴とする。

はじめの役人

戦争で勝利したお館様が部下に言う、百姓をめぐって米を集めて来いと言う。戦時中なら無理やりにでも強奪しようが、平時にはそうもいかない。命じられたものは調査立案する。公正と正確さが求められる。まず農家を尋ね、米の徴収をするための調査と告げ、農地の大きさ、農地の質などから収穫量を推定し、割合を決める。それをすべての農家に及ぼす。さらに、誰がどこに集めるか、正確な計量はどうする。集めた米をどこに運ぶか、どの程度換金するのかなど仕事は山ほどある。

成功すれば一部修正を加えながら繰り返される。やがてそれが制度化される。それを支える組織が出来上がる。ほかの事例でも制度と組織ができてくる。それらが集まって官僚組織となる。平時になれば、軍人たちの一部は国に帰り、能力があるものは官僚組織に吸収される。戦うことしかできないものは武闘派として残る。

ある課題を解決するために組織された役人が仕事をなし終えたとき解散することなく、同じような問題に備え、人、物、情報を保持した組織を持続することとなる。新しい問題が起きたとき、おいしい話であれば組織間の取り合いになるが、引き受け手がいなければ新しい組織を作らざるを得ない。このようにして組織が生まれていく。

官僚組織を全体としてみれば、権力の命令を具体化し、実施させるのが末端の組織となるが、逆に情報は末端から上に上げられる。もし上からの指示が末端まで正確に伝わなければ混乱を招くし、末端の情報が上に正確に伝わらなければ判断を間違えてしまう。

官僚組織が出来上がれば、それ自体権力の委譲が生まれ、組織の防衛、自己保存などから権力闘争に加わる。事案にもっとも詳しいのは官僚、立案ができるのも官僚、実施能力があるのも官僚といえる。

書類の重要性

官僚組織の拡大は上からの指示を明確にするため文字を用いて文章化する必要性が生まれてくる。また文章は整理保存することも必要となる。組織は固定化され、持続される。そのため、氏族の師弟の教育、後継者の育成、教育機関の整備などが図られる。

官僚の揺らぎ

官僚がそれぞれの分野で国家の意思を具現化する。組織の中でも権力争いが絶えずある。財務か、検察か、軍部か、綱引きが始まる。バランスが崩れると混乱する。誰がトップをとるのか誰もがひそかに探っている。誰に付いていったら自分も上にいけるのか。

権力者、取り巻き、意思決定機関、政治は権力のあり場所の決定に関わる争い、決定事項の伝達、官僚への指示。

財政　収奪と分配のうち分配を決めるのが財政である。どの分野に予算を配分するかは極めて重要な政治的判断となる。

そんな争いをやめた人には平穏が待っている。何もしなければ何も起きない。最も恐れるのはミスをすること。市民には型どおりの対応をすること、善意を示さないこと、書類を大切にすること。体制はうまくできていればいるほど固定化し、新たな変化に対応できない。時代の変化に対応できなくて、やがてブレーキの役割を果たす。

一般市民が出会うのは役所の係であり、交通整理の警官であり、デモのときの機動隊であり、負傷したときの救急隊である。彼らは以前庶民として同じ仲間である。しかし、支配者側と被支配者側に分かれる。

官僚組織は社会の複雑化に対応して巨大になる

治安を守るのは犯罪、もめごとの処理にあたる警察と司法。教育、大衆への啓蒙宣伝、出版、学問。年金、福祉、医療などの社会福祉。宗教、芸能、芸術、音楽。農業、漁業、工業、商業などの産業の育成、金融など社会的インフラの整備。民衆の政治参加と選挙、議会。官僚の組織は社会の拡大、複雑化につれて巨大、綿密な組織になる。すべて官僚が動かなければ始まらない。

官僚は自分たちが支配者だと思っている

官僚は権力が自分たちに移ってきたと思う。生殺与奪の権を与えられていると感じる。

高級官僚と言われている人たちは自分たちが特別の待遇を受けることが当然と考えている。庶民に補助金など配る時にもまず自分たちが必要な分を取り、残りを庶民に分け与えるものだと考えている。もとは庶民から奪ったお金でも、いったん奪ったからは自分たちのものだと思う。

庶民が常日頃接触する権力者の影は警官です。近づくだけで緊張します。いつ何時権力を行使されるか分からないので怖いのです。暴力団も道ですれ違うとき怖いので目を合わさないようにします。いちゃもんをつけられて殴られたら暴力です。同じことを警官がやったら暴力ではなく権力の行使であり、職務の執行となります。庶民には違いなど分かりません。ひたすら係わり合いにならぬよう避けて通ります。

情報の収集

権力は情報を官僚に頼る。時には誤った情報を故意に伝えることもある。
経済は資本の投資の決定、経済活動、資本の回収。それを支える情報。

どこに忠誠を誓うのか

誰しも駆け出しのとき大儀を持ち、公僕として奉仕する誓いを立て出発をするが、経験を積むにつれ、より小さな自分の所属する組織の利益がもっとも守るべき事項となる。

無謬《むびゅう》主義《しゅぎ》

決して自分たちの過ちを認めようとしないこと。過ちを認めた時は責任を取って今の地位を失うこと。コロナウイルスの入国を水際で防ぐと言っておきながら、簡単に防衛線を突破されても判断が甘かったとは言いませんし、検査の対象を武漢縛りにして二次防衛線を突破されても知らん顔していました。此の期に及んでも過ちを認めることなく平気で方針を変換し、民間を頼ることもせず、信頼もしていない。

> 最近の傑作は国会で安倍総理が桜の会の前夜祭をめぐり、安倍後援会が募集したでしょうと言われ「いや募集ではありません、募っただけです」と言ったのには驚きました。戦争に負けた時も敗戦とは言わず終戦といい、戦いに敗れ退却の時も転出と言うそうです。彼らは言葉のマジシャンです。彼らにかかれば、黒を白と言い、白を黒と言い切るのも可能です。

収奪

権力の支配の要は収奪にある。できるだけ多くを奪い取りたいが、本体が滅びてしまえば元も子もない。よく「生かさぬよう、殺さぬよう」と言われます。

種籾は必要ですし、結婚して子どもができるような配慮も必要となる。そのへんのさじ加減が支配を永続させるには肝要となる。

収奪とその方法

支配者はその支配を貫徹するために労働者から年貢としてその生産物の一部を掠め取る。農産物や味噌、醤油、塩など、着物の生地など衣食住に必要なすべて。労役も求められる。城、社寺、役所などの増改築、河川の改修などに駆り出される。分配と同じように平等感、公平感が大切。他人と同じ苦労なら不満感は少ない。

収奪の業務は予算を立て、割り振りをし、納付を指示し、回収し、保管し，納付しない者に納付を促し、時には暴力を用いる。

年貢米の安定的収奪をするために出先機関（例えば代官所）を作る。土地の作柄を測り、納付量を決める。中心地につながる道を造る。部隊の移動が簡単になり、統治が完成する。

過酷な収奪

悲惨な話がいくつもあります。跡取り（長男）以外は結婚できない、次男以下は家を出るか、一生下男として働く。子どもの間引き、女子を身売りする、最後には夜逃げ、逃散《ちょうさん》や一揆の発生となる。

収奪の究極の形

収奪は最後には軍役を課し、民の生命すら奪っていきます。国にとって生命すら収奪の一形態に過ぎません。国民である以上お国のために生命を捧げることは当然だと考えています。

納得のいく収奪

敵が攻めてくる。洪水を防ぐ。道の整備。水路の管理。

納得のいかない収奪

権力者が太っている、支配者が贅沢をしている。

分配

収奪した富をどのように使うのか国家の命運にかかわる。支配者層の贅沢、浪費に使われれば国の腐敗を増長する。節約して軍事力の整備、国家のインフラに投資すれば国力の増大に寄与する。

国のどの地点にも直ちに駆けつけられる道路の整備は物流にも貢献する。市が生まれ、常設の店になり町ができる。船を用いた海路は物資大量移送を可能にし、商業が発達する。

武器を増産するために必要な原料を調達するために鉱山の開発は農機具、輸送の手段の開発にも伸びていく。師弟の教育のために学校が造られ、戦術を研究するための学問が生まれ、国外に派遣する。

分配の原則

分配に与かる者はまず自分の分を確保した後、残りを仲間に分け与える。さらに残ったものがあれば、溜め込むか、浪費するか、将来に備え投資するか。

分配に関する一考察

「能力に応じて働き、必要に応じて取る」。分配に関するこのスローガンはもしできたら、なんとすばらしいことだと感激したこともありますが、どうやら楽天的すぎるようです。善人ばかりの世なら可能かもしれませんが、つまらない世の中です。

ここに十人がいて七人分の食糧しかないとしましょう。十人は〇・七ずつ分け合ってメデタシメデタシとはいきません。強い男が「俺は身体も大きいし、一・五人分もらう」。次の男が「俺は一・〇でいい」。順々にとっていき、最後の三人には何も残っていませんでした。これが現実です。

もし、食糧が空気のように、無尽蔵だったら、争いが起きないかもしれません。しかし、もっと大きい問題が生じます。人口爆発です。

持っている者は守ろうとし、ないものは奪おうとする。

必然の結果、両者に闘争が起きる。

第六章　国家と暴力

そもそも暴力とは何でしょうか。

相手の意思を無視して、力を用いて相手をある方向に導くことです。

力には目に見えない力もあればあからさまな物理的力もあります。自分の意に沿わない方向に持っていかれてしまう力を暴力というなら、すべてが暴力で説明がつきます。

国が行使する暴力ははっきりした物理的暴力です。

相手がなかなか自分の言うこと聞いてくれません。十分に説明したたし、妥協案も提示したたし、それでも駄目なら交渉は決裂です。後は暴力による決着しかありません。単細胞な人間にとって武力は魅力だ。もめごとがあった時、暴力で決着をつける。勝ったほうが正しい、正義だ。殺された方の訴えは闇に葬られる。

権力の極地はほしいままの処刑

権力者にとって権力を実感できるのは人間の命を奪う時、たとえば犯罪者に処刑を宣告する時、兵士に死ぬしかない突撃を命じる時、暇で仕方がないので無実の人を処刑してみる時、国に一命を捧げることこそ忠臣のほまれと諭す時。「生殺与奪の権を振るうも自由」と感じる時、これぞ権力者にとっての醍醐味となろう。

自衛と侵略は同じこと

「国を守る」との大義を掲げない侵略はない。

国を守ることと侵略することは同義語です（自衛＝防衛＝侵略）。

憲法改正案の自衛という言葉を侵略と置き換えれば、改正の意図がはっきりします。

明治政府の取った「富国強兵」は間違いです。力をつけてお金持ちになろうなんて強盗でもやろうということですか。同胞が３００万人も死んでも反省もないし、未だ懲りないなんて、あきれたものです。

軍隊が守ろうとしたのは人民ではなく国である

沖縄戦で避難したガマ（自然洞窟）から自分たちの防衛のため人民を追い出し、アメリカ軍の砲火の下にさらしたのが日本軍ということを忘れてはならない。

兵士の命は一銭五厘

召集令状（赤紙）のハガキ代が一銭五厘で、国はこれで次の兵士を補充できた。何よりも安く、気軽に消耗品の扱いができた。

暴力装置

軍事

軍事力だけが統治を保障する。軍事を握った者だけが権力を主張できる。軍事を握れないものが権力を望めば抹殺される。

政治と軍事とは表裏一体である。軍事の掌握に失敗すれば、それは政治的失脚を意味する。外敵の侵入に対して軍隊を創設することは当然だが両刃の剣である。国内のもめごとにも秩序を保つために行使される。権力者は軍事を掌握するため、敵がいないにも拘らず時々戦争をする。隣国にいちゃもんをつけ攻撃する。戦利品は部下に分け与える。めでたしめでたしとなる。

防御の装備、攻撃の装備、兵站（後方支援）、新兵募集（リクルート）

装備は充足するとすぐにまだ足りないのではないかという不足感の始まりです。それは恐怖がなくなることがないからです。

国と国の関係

国と国の関係は戦国時代と変わりません。隙を見せれば侵入されるし、相手に隙があれば攻め入って戦利品を得ることが日常です。正義とかルールとかは跡付けの理屈です。生の力がすべてです。しかし戦争によらず、結果を得ることができれば外交の勝利となります。

外交

外交能力があれば一個師団を超える成果を挙げることが可能です。必要なのは想像力です。相手国がなぜかような理不尽な要求をしてくるのか考えないといけません。情報を吟味し、相手の立場になって考えれば理不尽な要求などありません。「こんなことも分からないのか。あいつらは馬鹿だ」などと言うのは、自分の外交オンチを暴露しているようなものです。

アメリカをそんなに頼っていいのですか。日本はアメリカにとってかつての敵国で、助ける義理はないんじゃないですか。日本人を守るためにアメリカの青年の血を流す大義などありませんよ。

日本を舞台にして、中国とアメリカが戦争する可能性だってありますよね。日本がシリアのようにならない保障もありません。外交の失敗は日本の存亡に関わる重大事です。

拉致問題とは

北朝鮮と日本が準戦争状態と考えれば敵国に潜入して人的資源を捕虜として獲得するのは軍事行動の一環と考えればさして不自然ではない。それを人道的立場から返還要求をするのは違うのではないか。むしろ非難されるべきは、やすやすと侵入され自国民を拉致されるという日本の防衛ラインの不十分さであり、日本政府の責任といわざるを得ない。

交戦国同士で捕虜を交換することはよく見られることで、日本も北朝鮮の要人を捕虜にし、交換交渉を始めればよい。かつて金正日の長男である金正男《キムジョンナム》が日本に不法入国し、東京ディズニーランドに来たことがあった。日本政府は彼を不法入国（偽名を使い入国）で逮捕し、その後北朝鮮との交換交渉で使うべき絶好の機会であった。

しかるに当時の田中真紀子外務大臣は早々に帰してしまった。外務大臣でありながら、国と国との基本的関係が分かっていないという不見識が招いた失敗といわざるを得ない。

民間外交

外国に行って自己紹介のとき「私の名前は××です。憲法で戦争放棄した日本から参りました」と言えば下手な外交官より遥かに日本を宣伝しています。ついでに「我々日本人は丸腰です。武器を一切持っておりません」と言えば拍手喝采となりましょう。

階級

法律的にはありせんが、経済力、資産、社会的地位、職業、学歴、出自、出身地などによりなんとなく上流階級、中流階級、下層階級の区別が生まれます。上昇には多大の努力が必要であり、油断すると下降してしまいます。

被支配者

生かさぬよう殺さぬよう

家康の家訓といわれていますが定かではありません。しかし、人民支配の要であることは間違いありません。

支配とは

高札や文書で指示命令だけが支配ではありません。風を吹かせ、空気を作り、お上の求めることには逆らわないようにする方法もあります。従順とか同調圧力とかいうものです。

一人を槍玉に挙げることで他の人への見せしめとします。権力の走狗となる庶民も出てきます。権力に狙われないためには、いち早く自分が権力側の人間であることをアピールすることです。

刺客

往々にして権力にとって使い勝手の良い暴力装置に刺客があります。非公式に行動し、権力に不都合な考えの持ち主に対し、悪評を立てるなどして追い込み、直接脅してみたり、ついには殺害に至ることとすらあります。

憂国の士もどき

新型コロナで現れました。お上からの指示が出ると、それに呼応して、指示を守らない人に対して正義面したやからが何の権限もないのに威嚇してくるのです。特に日ごろから鬱々している人にとって自分の力を示す絶好の機会になります。

国が求める人間像

小学校の道徳の教科書を見れば国がどのような人間を欲しがっているのがはっきり分かります。

教科書の変遷

戦後間もない頃の社会の教科書と、順次、現在までの社会の教科書を比べてみてください。いかに国が戦前の過ちを正当化し、平和日本から再び軍事大国を目指しているかがはっきりします。

身分制

身分制が社会の安定を保つためには必要なことかもしれません。だが身分などという差別的言葉に代わり、住む世界が違うとか育ちが違うとかの婉曲な表現で言われています。自分は能力があると思っても、超えられない壁が厳然としてあります。

最下層民

身分制度が安定するように政治的に最下層民が作られる。下には下があることが上には上があることを納得させる。

乞食

家を持たない、仕事もない、人の情けにすがり食べ物を恵んでもらうことで命をつなぐ人たちがいる。

秋葉原無差別殺傷事件

二〇〇八（平成二〇）年に起きたこの事件の動機はいろいろ語られていますが、攻撃対象が歩行者天国にいる人だったということが象徴的です。普段なら、手をつないで歩いている親子連れなどはほほえましい風景ですが、犯人にとっては許しがたいことだったのでしょう。幸せでいることが罪だなんて思われる世の中とはどう生きていったらいいのでしょうか。その後も似たような事件が起きています。

社会はあなたの一部の能力だけしか求めていない

ヒトはトータルとして人なのでバラバラにはできない。社会から求められているもの以外にいろいろなものが付いてくる。求められている作業をこなすためには身体だけではなく、脳も食事も睡眠も休息も家も家族も通勤手段も仲間も必要になる。人を働かせるのは面倒ですね。

もし作業をこなすのがロボットだとしたら、指示するコンピューターと電気があるだけでいい。主役はロボットで、人はロボットがやるには効率が悪いところを補う仕事だけになる。やがてそういう時代が来るかもしれません。

軍・警察

人々が集まればトラブルが生じる。庶民が守るべき規則が定められる。多くは常識を明文化したものだが、人を殺すな、物を盗むな、他人の女房との淫行するな。嘘をつくな、強盗、強姦、傷害禁止、放火など。国によっては政策的なものもある。正義に沿うものである。

犯罪には処罰がある。処罰の程度は恣意的であってはならず、公平を期すため司法の捌きがある。刑期が決まるまでの拘置所と処罰としての刑務所がある。

犯人を捕まえて処罰する。これが人々の願いとすれば、為政者の思惑は違う。犯人らしきものを捕まえ、自供させ、処罰し、お上の権威を高めることにある。欲しいのは庶民が納得すること、憎しみが犯人らしき者に集まり処罰感情が満たされること、解決に導いたお上を賞賛すること。

公安

やくざはその勢力圏内においては暴力的ではあるが、国の権威を危うくするものではない。しかし、極左集団やオウムなどの宗教団体に中には国の存在そのものを否定するかのような動きをなすものがいる。そのような場合、公安の出番となる。

公安の動きは外部からはわからない。秘密裏に動くことそのものが力となる。何をされるかわからないことそれ自体が力となる。個人情報がマイナンバーカードとひも付けにされることによって、個人の隅々まで覗かれ、管理される時代がもう始まっているのかもしれない。

秩序、法、警察、司法、刑務所

官僚制度の発達により、民衆の細部まで干渉してきます。「これこれは為してもいいが、これこれはいけない」。命令と禁止、許諾と不許可など身分に応じて決められる。しかも一方的にであり、民衆は異議を申し立てることもできない。

犯罪は民衆にとって身近な脅威である。秩序、安寧を得て民衆の国に対する信頼が生まれる。犯罪も真実に近づいたというより、民衆に安心と憎悪の対象を与えることが肝要となる。

裁判

吟味して処分を決定一件落着、何が正しいかではなく決まりをつけることが主眼。後ほど検事、弁護士が分離、三審制に。

治安

警察、検察、判事は「ぐる」である。お互いの結論を尊重し、批判するような結論など出すことはない。「ぐる」でないなら証拠を出して欲しい。NHKの令和元年一一月一一日放送の「逆転人生　逆転裁判!」を興味深く見た。

現行犯逮捕などの権力の行使はあくまで慎重であるべき、冤罪は無実の人間の人生を破壊してしまう許されない行為である。犯罪が起きたとき、警察は筋読みをする。限られた材料から犯人の目星をつける。これは科学でいえば仮説であり、新しい事実が現れたら仮説は変更される。実験により確かめられると真実に近づくが、第三者によって再現されなければ、真実とは言われない。

ところが、警察の仮説はいつか確信になり、不都合な事実は隠され、犯人にたどり着いた論理的筋道は明かされない。

権力の行使は絶えず厳しい監視の下に置かれ、資料は隠されることなく、誰でも必要なときには、犯人特定にいたった流れを再確認できるようにすることが肝要ではないか。

分配の要、軍事から民事

支配する地域が大きくなり、収奪も膨大なものとなるが、その配分の方法は国の命運を左右する。まず軍事、武器の修理、新しい武器の購入、軍人の教育施設，戦術の研究。

次いで、王とその後継者を育てる家族と世話をするもの、とかく華美や奢侈に流れがちだが、意味のない浪費は国を滅ぼす。道の整備と船の運航に始まる物流の増加、貨幣の鋳造、信用経済からの金融政策、諸国との交易と外交、農地の開拓、治水、鉱山を開き原料の確保など。どこに予算を配分するか非常に大切な決断となる。

軍隊をいかに制御するか

例えば自動車は運転手が乗り込むまで静かに待っている。もし自動車が自分の意思を持ち、自分の判断で動き始めたら、乗っている人間はただただ恐怖でしかない。もし軍部が日露戦争の勝利という成功体験に裏打ちされた万能観と自己陶酔観を持ち始めたら、暴走を始めることは想像に難くない。

戦争

戦争がないときには皆いい人なんです。戦争になると人間が変わります。だから戦争をやってはいけないのです。自分が住んでいる村に夜盗が襲ってくる。自分たちは家族や土地を守るため戦わなければならない。戦いは苦しいが納得できる。仲間が死んだが仲間を誇れる。

しかし、ある日、突然国から呼び出しがある。他国と戦争があるという。出かけていって何の恨みも憎しみもない人を殺さなければならない。その人にも家族はいるだろう。戦争から帰ってきて、自分の家族に笑顔を向けることができるだろうか。

そんな理不尽な殺人を命じるのが国家である。軍の上層部にとって兵士が死ぬのは痛くもかゆくもない。むしろ当然のことである。あたかも将棋で駒を動かすことと同じである。

人が人を食べる。むかし子どものころ、人食い人種がいて敵の首を切り、皮をはいで人肉を食べると聞いて恐ろしい思いをしたが、いまの戦争も同じようなものではありませんか。銃刀で殺し、家を焼き払い、女を犯し、若者を奴隷とし、財宝を持ち帰る。世の中変われども戦争の本質は同じ。

戦争をやりたがる人はいます。戦争によって利益を得る人、自分の欲から戦争をしようとする人、自分が儲かるなら他人の生き死になど関係ありません。

軍需産業によって益を得る人、海外の資産を守ろうとする人、海外の権益を手に入れたい人、海外進出を考えている人、よくわからないけどノスタルジアを感じる人、使い勝手の良い軍事力を望んでいる人、人の生死をもてあそぶことこそ権力者の醍醐味です。

もっと早く敗戦を認めていれば

無謀だった日米開戦の負けをもっと早くたとえばガダルカナル陥落のとき、ドイツが敗れたときに認めていればその後の沖縄戦、広島、長崎の原爆投下、東京大空襲などなかったかもしれません。負けを認められず、本土決戦などやっていたら、もっと死者が出ました。竹やりで敵の機関銃に向かって突撃せよというのです。もし実行されたらあなた方のおじいちゃん、おばあちゃんが殺され、今のあなたがいなかったかもしれません。

最後の一兵まで戦わなければ死んでいった英霊に申し開きできないなどと言う人は、ばくちですっからかんに負けて、初めて自分のおろかさを自覚するのと同じ人種です。

人間とは厄介なもの

平和であることは何ものにも代えがたい貴重なものですが、平和ボケするとまた争いが増えてきます。曰く「平和はつまらない、戦争していた時のほうが面白い」。いやはや人間とは懲りない生き物ですね。

民主主義、三権分立、選挙制度、議会制度、立法

民衆の力を無視できないと気づいた権力は妥協をする。経済が発展すれば最も力を持つのは商人で、お金の前には頭を下げざるを得ない。徴税も兵隊も庶民の協力なしでは達成できない。しかし、民主主義などはトリックである。権力のミステーク。

リップサービスにせよ権力が被支配者に与えてきた諸権利、言論の自由、民主主義、生存権など、そのつもりはなかったけれどうっかり与えたことで命取りになることも考えられる。

批判勢力は必要

権力者が反対勢力をことごとく沈黙させることは決して好ましいことではない。反対側の支えがあってこそ、ほどほどの位置にとどまることができる。支えがなくなればこけてしまう。

第七章　自衛

自称〝自衛隊〟を強調する皆様、軍隊かどうか誰が決めるのでしょうか。アジア諸国から見れば自国の数倍の軍事費、装備を持っている国がこれを軍隊ではないと言っても信じられるわけがない。赤ズキンちゃんに「おばあちゃんですよ。怖くないから」と言っているオオカミみたいなものです。

自衛とは称せ、武装することは戦う意志の表明です。来るなら来いということです。

自衛の究極の形は先制攻撃である

武力には鎖（たとえば憲法下の制約）を付けておくべきで、解き放つべきではない。解き放れた武力は主役の座へと駆け上がる。

恐怖から逃れるには敵を最後の一人まで殺戮すること。先手必勝に習い先制攻撃を行うこと。

こんな話があります。

ある日、庭に出ていると隣のご主人がバットを抱えて帰ってきました。「あれ変だな。隣の人が野球をやるとは思えない。ひょっとして昨日のトラブルが原因かも」。実は庭の石がどちらに所属するかで大喧嘩をしたのです。あのとき隣のご主人の顔は普通ではありませんでした。もしかして夜中にあのバットをもって襲ってくるかも。家族を守るために備えないと。

次の日バットを二本買って帰りました。その夜は枕元にその二本のバットを置いて寝ました。しかし、その夜は何事もありません。よく眠れなかった翌日、隣はこちらの隙をうかがっているに違いない。襲ってくるのは今晩か明日か。このまま眠れない夜が続くのは耐えられない。そうだこちらから襲って決着をつけよう。うちの家族を守るために攻撃するのだから正当防衛だ。

その夜中、忍び込んだ男は寝ている隣のご主人の頭めがけてバットを振り下ろしました。びっくりした隣のご主人が聞きました。「何でこんなことを」。答えて「野球などやらないのに、バットを買って俺を殺そうとしたからだ。これはお前が悪いのだ。おれは家族を守ろうとしただけだ」

隣のご主人は死に際のか細い声で言いました。「孫が遊びに来るというので、遊んでやろうと思っただけなのに」

日常でも同じこと。あいつが先に手を出した、あいつが俺の悪口を言いふらすから殴った、悪いのはあいつだ。殴ったことを棚に上げ、いつも自分を正当化してしまいます。

アメリカではライフルなどによる殺傷事件がなくなりませんが、武器による自衛のための武装は憲法で保障されている権利だとのことです。自衛と攻撃はおなじことですから、このような事件はなくなることはありません。

安倍総理の辞任会見で示した陸上イージス・アショアに代わるものとして、「敵基地を先制攻撃する能力の保有について」の言及がありました。首相も馬鹿みたいですね。パールハーバーを先制攻撃してどうなったか忘れたのですか。もし北朝鮮を攻撃したら北朝鮮に絶好の反撃理由を与えたことになります。その結果、東京に原爆が落とされます。長生きしたい皆さんは早々と東京から脱出したらいかがですか。
ミサイル攻撃をされない方法は簡単です。日本からすべての米軍基地に出て行ってもらうことです。敵基地を攻撃することは軍事のイロハでしょう。

こんな不用意な発言をすることによって、北朝鮮側から「日本には北朝鮮に軍事的野心を持った政治一派が存在する」「こんなやつらが拉致家族問題を言ってきても、別な狙いがあるに違いない」と勘繰られてしまう。

第八章　日本の将来

日本の将来はばら色か暗黒か

国家の衰退

官僚制が完成し安定すると、崩壊が始まる。権力をめぐって内部抗争が生まれ、時には内乱にまでなる。戦争が終わり、平和が来れば軍は不要になる。刀は竹光に代わり、兵士は故郷に帰り、軍の維持が負担になる。

権力は腐敗する、人間は欲で動くということであれば、当然国家は衰退する。しかし、腐敗をふせぐ手立てをすれば延命は図れるかもしれない。例えば、権力者の任期制、再選禁止、交代制、監視制度など。しかし、権力者はたくみにその規制をすり抜ける。そして長期政権が生まれ、腐敗が始まる。

もちろん衰退の主な原因は別にある。国をそれまで安定させ、繁栄させてきたバランスの崩壊である。人口の増加は農業の収穫高に規制される。収穫高が順調に伸びている間は問題にならないが、停滞すると食糧の奪い合いが始まる。
王及び権力者が贅を尽くし、過剰な消費を行えば食糧が届かない人々が生じる。上級官僚も役人も上に倣い、不正に走る。うまく立ち回れない人々が餓える。
財力のあるものは十分に食べ、なおかつ富を蓄えるために買占めに走る。力のないものは乞食になり、泥棒、物乞いに回る。力を行使できるものは、強盗、人殺し、金のある商人を襲う。治安が乱れる。警察組織は治安維持に努める、しかし成功はしない、なぜなら食糧が依然不足しているからである。

金融の失敗もあるかもしれない。紙幣を倍印刷すれば倍のお金になる。そう考える人が金融制度を破壊する。インフレが進み、食料品を買うためには倍のお金が必要となる。当然、貧乏人は餓える。

国家の崩壊

崩壊の直接的原因は、飢饉、水害、地震、なだれ、疫病、火山の爆発、津波などの自然災害かもしれない。しかし国家が自然災害に対抗するだけの力を余していないとき、国家の崩壊は自然の流れとなる。

文明は反自然である。自立できない病人は死ぬしかない。それが自然の摂理であり、それに逆らって病人を保護し、老人を守り、障害者を守り、弱者を守るのが文明といえる。文明は国に多大の負担を強いる。その負担に耐え切れなくなった国は弱体化する。

他に国家の衰退を見た他国からの侵略、内乱、農民の逃散《ちょうさん》、反逆は目の届かない地方から始まる。

世界の終わり

地球規模の災害によって人類が滅びてしまうこともあるかもしれない。隕石が衝突する、温暖化で地表が高温になる、火山の噴煙で太陽の光が当たらなくなる、防ぎようがないウイルスに感染して死ぬ、核戦争が起きる、宇宙人が攻めてくるなど、若者の中には人類の滅亡が徐々に近づいてきたと恐れる人がいる。年寄りはどうか、どうでもいい、もう死んでしまうのだから。

人類が滅びた後で生き残ると言われるゴキブリとその仲間たちがいう。「人間がいなくなってよかったね、あいつらは海は汚すし、空気は汚すし、地面は掘り返すし、多くの仲間を絶滅させたし、地球が自分たちのためにあるとばかり、我が物顔でのさばっていた。あいつらは地球上最低、最悪の生き物だった」

権力からの個別の攻撃

学術会議の任命拒否問題に見るように、自分には係わり合いがない問題だとやり過ごしてしまうと、やがて自分に向かってくるときに抵抗できない事態になります。それにしても苦労人菅総理は権力に逆らう人にはずいぶんと厳しいですね。これが成功すると味を占めて、次から次へと攻撃を仕掛けてくるでしょう。

うそつき前総理

たとえば女は甘い言葉を待っている。〜美しい、愛している、死ぬまで君を放さない〜流行《はや》りの歌にあふれ出る陳腐なセリフ。もし男が嘘つきなら何のためらいもなく女を喜ばすだろう。ただし、国のトップが嘘つきなら国民は悲惨だ。親分が嘘つきなら部下も嘘つきになる。親分が嘘が嫌いなら部下は嘘をつかない。親分が耳の痛いこともとりあえず聴いてくれる度量を示せば意見が盛んになる。親分が批判されることを嫌えば、皆沈黙する。

監視すること

法によって建前ができ、国の民であれば等しくそれに従わなければならないとなり、権力さえも法を尊重せざるを得ない。現実の建前からの乖離が生ずればそれは批判される。

ただ乖離とはいえ暴露されない限り批判されることはない。権力者にとって不都合な情報は隠してしまえば批判を避けることはできる。たとえ暴露されても以前ならマスコミを抑えてしまえば拡散は防げた。

このインターネット社会では誰もが情報の発信源になりうる。匿名による個人攻撃などの暗い面もあるが、誰もが声を上げることのできる明るい面に期待したい。ドライブレコーダーならぬ二十四時間音声レコーダーをすべての人が装着すれば真実は日の目を見る。

憲法の改正

安倍内閣による憲法改正論議の核心は自衛隊（＝軍隊）の憲法上の制約を除き、諸外国の軍隊と同じように権力の意のままに動かそうとしていることです。自衛隊合憲に続いてくるのは徴兵制です。若いお父さん、あなたはあなたの子どもを戦場に差し出す覚悟があるのですか。「こんなハズではなかった」と再び嘆くのでしょうか。

憲法の改正に賛成してはなりません。自衛隊の肯定問題以外にも憲法を改正する項目があるのではないかと言って改正に賛成するのは政局を見ない議論です。すべて自衛隊の議論に巻き込まれてしまいます。国の思惑にやすやすと乗ってはなりません。

自衛隊を公認する憲法改正も諸外国からすれば専守防衛から侵略国へと舵を切ったと思われて当然。好戦国ニッポンは攻撃すべき対象の第一選択のひとつになる。いまのままの憲法のほうが下手な防衛力より安全かも、戦争放棄を宣言している国を攻撃すべき理由などあろうものか。

令和天皇即位の宣言の中で「…ここに、国民の幸せと世界の平和を常に願い、国民に寄り添いながら、憲法にのっとり、日本国及び日本国民統合の象徴としてのつとめを果たすことを誓います」。

右翼の夢

国の理想形は戦前の日本である。明治憲法の下、軍が国政を指導し、天皇が国を統治する。臣民は天皇を父と仰ぎ、天皇のためなら死もいとわない。もっとも優れている日本民族は大東亜共栄圏構想をすすめ、世界に名を轟かせる。これぞ男子の本懐なるぞ。

彼らにとって〝自衛隊〟という言葉自体欺瞞的で使いたくない言葉、堂々と〝日本軍〟というべきと考えている。

安倍首相は最後の会見で「敵ミサイル基地を先制攻撃できるような法整備ができなくて残念」と言い残した。彼の夢は憲法改正して戦争をできるようにした戦後最初の総理大臣、つまり国の姿を完成させ戦後レジームから脱却したという偉業を成し遂げた大臣と言われたかったのでしょうか。

右翼の中では純粋に国を憂えテロに走る人がいるんですねえ、クワバラクワバラ。

ユートピア

これまで述べてきたように、戦争によって国家は成立するので、戦争放棄を謳った憲法は国家の基本法としては、不備といえる。では何だ、日本は国家ではないのか。そうかもしれない。戦争に負けた経過から見て、戦争のない国家、理想的国家形態つまりユートピアを描いたものでないか。憲法はユートピアを目指したのか。どのような新しい国が生まれるかは不断に国民の決意と努力にかかっているといえる。

これからの日本国家のスローガンを決めました。「平和共生」です。

ある右翼の夢

彼らの国家観（平和主義から国家主義へ）

ユートピアは現実からの挑戦を受けている。ユートピアを否定する右翼の新しい国家観は次のように概観できる。

天皇制を国家の基本に据え、意思決定機関はひとつだけ、国会も選挙もいらない。あんなものは西洋の猿真似だ。官僚組織はよく整備されており、なかでも税の徴収と予算の執行は肝心だ。軍は必要だが、扱いを間違えると国家の体制が危うくなる。軍の掌握が肝要である。情報の収集と掌握は重要だ。内部情報は決して漏らしてはならないが、人民の情報は細部にいたるまで掌握し、害を為すものは人知れず消えてもらう。

教育は将来の国を担う人材を育てる。国を信じ、よく働き、国のために命を捧げることをためらわない人を作る。福祉は程ほどに、国のお役に立てないものは早々と消えてもらわねばならぬ。警察の犯罪捜査ははやばやと済ませ、裁判は一回きりで十分。人民に文句は言わせない。どちらを選ぶかは国民の選択である。

日本会議

日本会議の綱領を聞いたとき、これは宗教だと感じた。「万世一系の天皇制」はこうあってほしいという希望が物語となり、物語を無条件に真理と受け入れた段階で宗教となる。神が海水をかき混ぜた矛の先から落ちたしずくが日本列島を作ったなどという歴史があろうか。万世一系には何の根拠もない。あるのはそうあってほしいという願いである。これは宗教だから論議の対象ではない。信じて受け入れるか、受け入れないかの問題だ。

国家の主権は天皇にあり国民は天皇に奉仕し、喜んで命を捧げる。子どもは教育勅語によって学び、国家のために働く。敗戦によるアメリカ占領軍によって強制された現憲法を改め、新しい憲法の下、国力にふさわしい軍隊を備え、先人を敬い、先人の切り開いた道を推し進めることこそ我々の勤めだと言うのです。日本は日本会議教を信じる自民党と創価学会を基盤とする公明党の支配する国家です。

これは宗教ですので、日本の国はこれこれだから、これこれすべきであるというとき、前半のこれこれは何でもよく、完全に無視すべき部分で、後半の「これこれすべき」こそ彼らの欲望の表現なのです。たとえば、日本は天皇が治める国であるから、国民は天皇に奉仕すべきである、と言うとき、彼らの狙いは「天皇に奉仕すべき」と言う文脈の中に彼らの欲望を巧みに滑り込ませることなのです。だしに使われる天皇もお気の毒です。

この宗教団体の教義によれば、教育勅語に沿った教育、行き過ぎた人権の抑制、新憲法による軍隊の創出、戦争で死んでいった兵士の顕彰、東京裁判の是正、日本国の世界における活躍などおおむね戦前の日本を理想形とする国体を目指すと言うことのようです。国体とは国柄ともいい日本らしさを言います。なぜ彼らはこれほどまでに戦後体制を忌み嫌うのか、多分、彼らの精神構造が認められていた戦前の体制が望ましいのです。

今の政治課題でも夫婦別姓は日本の家制度を壊すから反対、大東亜戦争は侵略戦争ではなく、アジアを解放する聖戦だ、日本は戦争に負けたけれど精神は破れてはいない。

一般的にいえば宗教は論議すべきものではなく、信じるかどうかの問題で、信者同士は仲間で、信じていないものは教え改めるべき対象か，倒すべき敵ということになります。「信じるのか、しからずんば死か」ということです。

憲法下の宗教の自由という観点からは何の異存もありませんが、自民党の国会議員の多数が日本会議の会員であるということは由々しき問題です。総理をはじめとする閣僚や国会議員には現憲法を守る義務があるはずです。現憲法がいやなら国会議員をやめて国民運動を起こせばいい。

中身は戦前の内務省の生き残りで、暴走した軍部を排除し、再び権力の中枢を握り、戦前の日本を夢みる一派が居り、天皇制の護持、靖国への首相公式参拝、憲法改正、緊急事態条項の新設、教育の刷新、伝統的家族観を守る、自虐的歴史観の否定を命題に運動している。

自民党国会議員のほとんどが日本会議の会員

「日本会議国会議員懇談会」があって、日本会議の目的の実現に向けて、活動しています。国会議員にとって最も重要なことは選挙で当選すること。落選してしまえば市井の人にも及ばない、負け戦の落人になる。選挙に有利となれば信念など捨て日本会議に追随することもあろうが、それにしても多すぎる。

選挙での一票の意味

立候補者が遠い親戚だ、仕事の関係で応援する必要がある、顔がいい、誰に入れたらいいのかわからないのでとりあえず、信頼が置けそうだなどいろいろな理由の一票も、自民党では憲法を改正して軍隊を持ち、戦争準備をすることに賛成の一票だと解釈します。子どもが軍隊に徴用されてから、こんなはずじゃないのにといっても遅いですよ。

日本は独立国家といえるのか

二国間の戦争で自国の首都を相手国に制圧されたらそれで終わり、敗北である。アメリカは戦後日本の軍国化を阻止すべく、主な都市をすぐに制圧できるところに基地を置いている。中国、北朝鮮、韓国などが日本の独立を脅かすといきまいている諸君はなぜ現に存在する基地を撤去することに全力を傾けないのか。自主独立というなら、まずアメリカの占領軍に出て行ってもらうのが第一でしょう。

支配するものされるもの

日本会議が政界、財界、宗教界、学会のそうそうたるメンバーを集め、日本を支配し、さらに支配を強固なものにしようとしていることは明らかです。ちなみに、支配するものとは自分の働き以上に持っていく人、支配される人とは自分の働きが奪われていってしまう人を意味します。

自分が踏み台にされていると思う人は支配されている人、人を踏み台にして少しでも高いところに居れる人は支配する側の人と言えましょう。

皆が自分の身分を自覚し、過ぎたことを望まず、与えられた環境のなかで全力を尽くす、このような美しい社会を日本会議は作ろうとしているのでしょうか。

日本では民主主義は育たない

民主主義の前提は、それぞれが違った意見を持ち、お互いの違いを認め合いながら話し合い、歩み寄れる共通点を見つけていく過程と考えれば、日本では育ちにくい。日本では違った意見は嫌われ、はじき出される。

多数決もそうだ。日本では多数決は少数意見を黙らせる、沈黙させる手段と認識されている。多数決は最後の手段として、その前にどうして意見の違いが生れたのか想像できなければ、単に多数の暴力と見えてしまう。

日本人にとって一番大切なこと

それは「空気を読むこと」、周りに気を配り、あまり皆と違ったことを言わないこと、やらないこと。それが一番安全で自分の身を守ることになる。

ディストピア

我々は今ディストピアの入り口に立っている。いや、すでに中に踏み込んでいるのかもしれない。顔写真、DNAによって個人認証が行われ、どこにいるか、誰といるか記録され、あなたの個人データの蓄積によりあなたがどれだけお国のために有益な人間か、それとも有害な人間か数値化される。あなたの医院への受信歴、疾病の内容、薬の種類から身体の状況が、本の購入履歴、図書館の貸し出し記録、購入している新聞、日常見ているテレビ番組から思想傾向が、あなたの家族構成、資産これらすべてが、マイナンバーによってひも付けされる。

ＩＣチップの体内埋め込みが始まりました。怖いですね。ジョージ・オーウェルが描く『１９８４年』の世界そのものではないですか。しかも便利だということで嬉々としてやるなんて。

情報

国家の在り方を決める主要な要素として暴力の形、それから資本の流れ、情報を誰が握るのかが問題となる。

個人の情報は全てのレベルまで握られ裸にされる。体制にとってあなたはデータの一項目にしか過ぎない。氏名から始まり、住所、年齢、性別、身長、体重などおなじみの項目から血液型、指紋、ＤＮＡ、家族、学歴、職歴、現在の所属、階級、購入する日用品、書籍、趣味、友人関係、検索したＷＥＢのページ、利用した交通機関、利用日時、立ち寄った場所、目的など細目にわたり、最後に国家にとっての危険度の裁定の項目となる。

お利口さんは無事に生き延びることになるとは思いますが、最初の持ち点が百点で国家を批判すると減点一、反政府デモに参加すると減点一、国家の秘密を漏洩すると減点一となり、持ち点ゼロになると、自動的に「国家清掃委員会」にデータが送られる。国家清掃委員会はあなたには何の個人的恨みがないが、粛々と仕事をこなす。夜の十一時にあなたの家のドアがノックされ、連れ出され殺され地中に埋められる。あなたがこの先、生きていても良い存在かどうか国が決めることになりかねない。

正義

禁止事項を主とした規則の底辺に流れているのは正義です。正義を叫べば行動が正当化されます。正義とは欲望の別名です。人は人でいる限り物欲から逃れることはできません。いわば生きることが欲を持つことと同義です。

欲は人間の本質です。人は死ぬまで他人と付き合い自分の内側とどのように妥協するかを考えていかなくてはなりません。正義は勝つではなくて、勝ったから正義なのです。

権力=正義、正義は権力=情報の独占。

特高の正義

戦後に悪の権化といわれた戦前の特高にも、彼らなりの強い正義感と使命感があったに違いない。それがなければ強い取り締まりも重い処罰もやりきれなかっただろう。

情報を握るものが世界を握る

何が歴史を動かしているのか、江戸時代の軍事力から近代の資本へ。子どもが大きくなるに従い着物を替えるように資本が大きくなればそれにあった社会体制が生まれてくる。

資本から情報へ

現代では資本を集中すれば勝てるという時代は終わった。これからは、情報戦の時代になる。デパートに行って商品を見て、店員から説明を聞き、洋服なら試着して購入する時代は過去のものとなった。ネットの商店があなたの全データを握る。生年月日、性別、身長、体重、体型、趣味、最終学歴、これまでの購入記録、あなたの全身と上半身の写真、お気に入りの洋服の写真などのデータが事前にある。

新しい注文が入る。「実は一カ月後に姪の結婚式が○○ホテルである。挨拶を頼まれているが、少し目立つ格好がしたい。予算は十万くらいで」これで済んでしまう。

二等国でいい

戦争をしないと一等国になれないなら二等国でいい。いい自動車に乗ることが一等国なら二等国でいい。おいしい食べ物を食べることが一等国なら二等国でいい。広い家に住み、それぞれが自分の部屋に閉じこもることが一等国なら二等国でいい。

NHKテレビ「ノモンハン」を見ました。2018/8/19(日)

誰も方針を出せない時に、一人が明確な方向性を出せば引きずられてしまう。「じゃとにかくその方向でやってみるか」となります。

作戦がしくじった時に、言い出した一人が責任を負うべきなのかそれを黙認した上層部が責任を負うべきなのか、責任のなすりあいが始まる。

代わりに罪もないほかの誰かが選ばれ生贄《いけにえ》になる。こうして責任の追求は終わる。

方針を出す能力もないのに、その立場に留まっているのは老害という。

戦争に勝つためには敵を知り、己を知らねばなりません。
戦力が敵に勝ること、つまり

1　武器、装備が敵より勝ること
2　補給が充分か。補給路が確保されているか
3　兵力は充分か
4　その上で作戦が正しいか
5　退却する時の基準が明らかか

だめなのは徹底抗戦、退却を認めない。精神論、希望的観測。
敵に関する正しい情報でも、味方に不利な情報は認めない。

NHKテレビ「ルソン島」を見ました。2018／8／11（土）

なぜアメリカへ白旗を掲げ降伏することを認めないのか。物資、弾薬の補給もせず徹底抗戦を命じ、最後には自決を命じる。命じた本人は司令部にいて、のうのうと生き残った。

NHKテレビ「駅の子」を見た。2018／8／12(日)

国が戦災孤児を生み出したのに一切面倒を見ず放置、無責任極まりない。恥を知れ！しかも少しだけ幸運だった庶民が少しだけ不幸だった戦災孤児をいじめる。

NHKテレビ「地獄のガダルカナル戦」を見ました。2019／8／11(日)

大本営とは何だ。平気で嘘をつくだけでなく、憶測でものをいい、希望的観測がいつか確信に変わる。たとえば、この戦いに勝ちたいが、何の根拠もなしにこの戦いに勝つになる。自分たちの判断ミスが一万いや十万の兵士たちの命を犠牲にすることの自覚などない。

NHKBS1スペシャル「幻の巨大空母〝信濃〟大和型不沈艦に何が」を見ました。2019／8／12(月・祝)

なぜ戦争がおきるのでしょうか。きっと戦争は一部の人には儲かるのでしょうね。利権を有する財閥、軍の上層部、政治家との癒着。

NHKスペシャル2019／8／12（月・祝）
「かくて〝自由〟は死せり～ある新聞と戦争への道～」

創始者小川平吉になる『日本新聞』の主張する日本主義とは軍部の論理的、精神的支柱をなした考えですが、私には宗教的主張にしか見えません。宗派名は「日本教」

NHKスペシャル2019／8／15（木）
「全貌　二・二六事件」

貴方のためにやりました、といわれても天皇も困ったことでしょう。事前に相談とか、支持をくれとかあれば関係は持続できたかもしれませんが、秩序を乱したものは処分するしかありません。しかし、軍部はこれ幸いと支配を進めます。殺されるかもしれないと分かれば誰も文句は言えません。

NHKスペシャル2019／8／17（土）
昭和天皇は何を語ったのか～初公開・秘録～「拝謁記」

若手将校による無茶、下克上、関東軍による暴走、やらなくても良かった太平洋戦争。

第三部　集団

第九章　集団の成立

集団とは

人は集まる。集まることで自分の身を守り、自然に挑戦し、子孫を育てる。集まることで文明が生まれ、文化が発展する。

国家も家族も同じ

人が集まってできる集団にはいろいろな形があり、いろいろな時間的過程を経る。背景も様々だ。

国家のように大きい集団でも家族のように小さな集団でも、人が集まって形成する以上は同じ原理が働くと考える。成員同士の葛藤やら分裂や統合の力、その中から生まれる権力など同じ構造をしている。

集団ができるとき

まず人が複数以上、目指す方向、まとまろうとする作用が必要。つまり人がいて、まとまろうとする力（統合）があり、まとめようとするリーダーが生まれるものが集団といえる。

集団化の契機

組織のような集団でなくとも集団となる契機はいたるところにある。たまたま道を歩いている数人がいた。その時、突然爆発音がする。誰かが叫ぶ、「ここにいては危ない。あの建物の陰に隠れよう」「子どもは真ん中に、誰かお年寄りの手を引いて」。建物の陰に落ち着いたところでまた爆発音がする。「俺が様子を見て来るから、ここにじっとしていて」。しばらくして男が帰ってくる。「あの爆発は事故によるもの。もう心配要らない」。みんなで無事を喜び、適切な指示に感謝し、解散する。

ある方向に集団が流れだすにつれ、核を中心にして固まりだす。はっきりした核になるのか、消滅するかは流れをつかんだ人による。成員は一人ひとり違った個性を持ち、成員同士の相互干渉の中から一定の方向が形成される。途中に集団の成員の気持ちを汲んではっきりした方向と実現の方策を示すことができれば流れははっきりした方向になる。その成員を一つにまとめていく力とは何なのかが吟味されなければならない。吟味されることでその集団の性格、持続可能性が見えてくる。成功によって、その指示と方向は賞賛され固定化する。時として強制力が生まれてくる。ここの成員の思いが、権力に凝固して逆に成員を縛り、強制力となる。

属性を取り除く

集団の基本的形を考えるために、生成の過程を取捨し、属性を切り捨ててゆく。年齢、性別、体格、人種、宗教、学歴、社会的地位、収入など。

最後の残る項目

人の集まり

ある目的（欲望、望み）を持って凡庸な人が集まり、別々の役割を取ることで、目標の獲得に近づける組織を形成する。各々が他者に期待をする。組織は各々から労働力を搾取し、成果を挙げ、貢献度を評価し、成果を分配する。

集団の三つの要素

集団は**成員**のほか、**権力**（集団の中心）、成員と権力を結びつける絆としての**統合**からなる。このダイナミズムは集団の大小を問わない。たとえば、離れ小島に取り残された二人の間にも、国家にも発生する。緊張状態が治まり、成員の動きが決まり、統合関係も安定してゆく。集団は有機体のごとく細胞が個々の働きを通じ、全体を形成する。置かれた状況の中で個々の個体が持つ矛盾を止揚するように権力と権力を取り結ぶ統合力が発生する。

集団の成員

役割を引き受けるということは自分の持つ部分を提供して個としての全体を捨てること。集団はあなたの一部しか必要としていない。どこかでなくした自分を取り戻さないといけない。また細分化が進めば進むほど、自分の役割の部分だけが精密に、高度に、濃密になっていく。他のパーツを引き受けてくれた人がいなければ何もできない。細分化とは結びつきが進められる（統合=integrate）ということ。

集団を取り巻く環境

集団はある舞台の上である背景を背にしてある時間の経過の中で動いてゆく。

中心となる核

目的の明確化、目標の明示、そこに至るまでの道筋（戦略、戦術）が求められる。それに応えようとする者が現れる。成功体験が結びつきを強くする。そのものを囲んで組織が再編成されていく。

結びつき（統合）

集団は何によって結びついているのか
集団は何がなくなると分解するのか

まとめていく力（統合作用）、取り込まれていく過程の一例

役割の遂行、仕事に全力投入
目的の達成と成果の公平な分配
約束以上の褒美をいただく、ボーナスの支給
正当に評価され、地位が上がり、立場も強くなる

精神まで取り込まれる

組織の全員に頼られている実感
組織との一体感、帰属意識

組織への忠誠心
組織のためなら犠牲もいとわない（命をかける。日本伝統の美意識？——アア）

物質的保障

指示の明確化、文書の導入
教育による技術の向上
啓蒙活動による「和」の向上
居住地の確保
福祉の充実
結婚の可能性

負のイメージがあるものの時には必要とされるもの

情報の収集、内部通報者の確保
不満者の抑圧
罰則の強化、拘束
逃亡者への見張り

見せしめの処罰
裏切り行為への組織からの排除

集団の相互関係

国家は最大の閉じた集団だが、そのほかの集団は他の集団に含まれたり、重なったり、反発したりして交互に影響する。
集団が細分化されるということは統合する力が増してくることと同義である。

集団が細分化されればされるほど、他の部分への依存度が増す。孤独を感じれば感じるほど、多くの他人の存在、他人とのつながりが必要になる。つながりが意識できなければ孤独感はさらに増すのかもしれない。山中で一人暮らしをしている者には他人を必要としないが、街中で一人暮らしをしている人には、他人の援助が山ほど必要、一人では何もできない。孤独感はあっても孤独ではない。

個人とは集団の中から生れた個体をいう。一人であっても集団から独立した存在ではない。確かに物理的にいえば個人は集団を構成する個体といえるが、その発生、育ち上がりを考えれば、個人は親のコピー、巣立ちを迎えて新しい別の人格になっていく。

個人が集まって集団をつくるといっても良い。しかしその個人は他の集団を根にもって存在するので個人と個人の対立は集団と集団の対立といえたりする。

細分化され中では他人の期待に応えられなければ、他人を期待することは許されない。

第一〇章　ひとりの生活

ありえないことではあるが、稀に一人の生活者がいる。
もし一人で暮らせるとしたら山の中の暮らししかありません。しかし、裸で山の中に放り出されたら死ぬしかありません。社会から離れて暮らす、または社会から逃げだして暮らすということならあり得ます。しかし、人が生きていくには基本的に必要なことがあります。

自分の意思で一人暮らしを選んだ人もいます

人里から離れて山中に暮らしの根拠を求め、人との接触は極力避け、自分でできることはなるべく自給する。必要があれば犯罪者ではないので人里に下りる。

夜露を防ぐ小屋のようなものが必要
寒さを防ぐ衣類
水、保存容器
火を起こすための何か、マッチか凸レンズと火打石につけ木、種火を保存するための囲炉裏な

ど
暖をとったり、煮炊きするための枯れ木、枯葉など
食料の確保、果実の栽培、畑など
風呂、便所など

ポツンと一軒家

テレビ朝日の番組にある『ポツンと一軒家』はなかなか興味深い番組です。一軒家とはいえ道が下界と通じ、電気が来て、通信ができてしまうという自分から選んだ孤独はある意味最上級の生活に見えてきます。人間関係のややこしさから逃れ、他人から干渉されることのない生活は健康で自立しているからこそできること、もし他人の手が必要になったら自立生活も終わりを迎えてしまいます。

一人暮らしを余儀なくされる人もいます

グアムの横井正一、フィリピンの小野田寛郎《ひろお》少尉、逃亡中の犯罪者など。

横井正一さんの場合、アメリカ人に見つかると殺されるという恐怖が動機のようです。水に近い洞穴が住み家、見つからないように夜間の行動、食糧は山に自生する木の実、罠で捕らえる小

動物、目立たないように畑も作ったかもしれません、種は山を降り調達したものでしょう。衣服は仕立て屋さんだった腕を発揮し何とかしたようです。望郷の念に駆られ泣いたかもしれません。いつか無事に日本に帰りたかったと思います。

小野田寛郎さんの場合まったく違っています。彼は上官の命を受け、アメリカ人との戦いを継続していました。主な任務は諜報活動です。アメリカ軍を監視し動向を探り、いざという時に役立たせようとしたわけです。驚くべきことはその強靭な信念、それを育てた士官学校の教育、最後の最後まで軍人でした。もしその教育の内容が間違っていたとしたら、なんと恐ろしいことでしょうか。

イギリス人の若い女性を殺害した青年のケース。犯罪者の逃亡は捕まることとの怯えです。自分の顔を整形してまでも逃げおおせたい。殺人を犯す間際まで、このような生活になるとは考えなかったかもしれません。彼にとってそれほど必然だったのでしょう。はっと我に返って、さあ死体はどうする。自首すべきなのか、それもできない。なるべく発見を遅らせて、その間にできるだけ遠くに自分を知らない土地まで逃げなくてはならない。外国に行けないなら、そうだ沖縄がいい。沖縄の山の中に逃げよう。

でも今の若者には、完全に隔離されて生活できるわけがない。町におりて、残り少ないお金を使うか、万引きでもして水や食料を確保するしかない。

後悔もたびたび襲ってきただろう。でも過去には戻れない。このまま逃げるしかない、いずれ捕まるかもしれないが、どれだけ逃げおおせるか。

もう一人の登場

ひとりの生活が何とかバランスをとっていても、そこにもう一人が登場します。世界が変わり、緊張が生れる。対応を余儀なくされる。認めて何とか折り合いをつけるか。無視して行動するか。無理やり退場させるか。そのまま別れたら所在を通報されるかも知れません。これまでの自分を否定されてしまいます。ここは殺害しても秘密をまもる必要があります。

片割れ　いつも対がある片方を言う。

ひとりとは仲間を前提にしたうえでの単独を意味します。

一人ぼっちとは仲間を求めていながら仲間がない状況を表しています。

いちばん多い相手は誰、多分母親でしょうね。

新型コロナで一人暮らしを余儀なくされている場合

接触が問題となれば孤立した生活をおくるしかありません。望んでしてるわけでなし、電話もできるし、食料品などの買い物で外出もできるので厳密な意味では一人とは言えないかもしれません。しかし、一人でテレビしか見ることがないとなると、身体は弱ってくるし、ボケが一段と進んできます。以前、市役所では年寄りに、町に出ましょう、できるだけ外に出て、大勢の人とお話しましょう、軽い運動を欠かさず、食事には気をつけてなどうるさいほど世話を焼いたのに。なんのこっちゃ。このままでは、病気が進んでコロナよりも医療費がかかることになりゃしないか心配です。

第一一章　二人

独身

一昔も二昔も前ならば、独身といえば大人になって結婚するまでのつかの間のことでした。でも今は一人身と名前を替えてごく普通の生き方をさす言葉になりました。結婚したくてもできない一人身や結婚を嫌っての一人身、結婚をやめた一人身。都会であればあるほど、いずれも肩身が狭いことなく暮らしていけます。都会生活では、ばらばらになればなるほどそれをまとめようとする背景の社会が生れます。指示がくまなく行き渡れば、ばらばらが可能となります。

二人

一人ではないが集団というには少ないのが二人で、しかも関係のあり方が多種多様にのぼり、一概に言うことが難しい。出会う前は対等なはずなのに、関係が始まるとその関係は対等ではありえない。自然に一方が力を持ち、他方が従うという関係になる。そのほうがまとまる。支配と隷属である。ゆるい支配やゆるい隷属など環境、条件によって程度の差はあるが、この関係が基本となる。

外見の力関係が本当の力関係とは限らない。逆に力を持つと思われている側がコントロールされていることもある。

二人の関係性

関係性を特徴付けるのが二人を結び付けているのは何かということ。

二人の良好な関係は時として〝愛〟とよばれる。愛情で結ばれた二人。でも愛はつかみどころがない。美しいが、愛情とは何かと考えるとよくわからない。

ゆがんだ愛の形にサディズムやマゾヒズムがある。

憎しみは愛より明確に相手を意識する。

無関心は相手を認めつつ、相手がどうなってもいいということ。むしろ憎しみのほうが無視されるよりもいい。

思いの中の二人

愛とは相手の存在を意識すること。思い出の中にも相手はいる。今は亡き夫の遺影に向かっていると、夫は私に微笑み、私を元気付けてくれる。

彼とは夢でしか会ったことがないけど、夢の中で笑顔をくれる。彼の瞳の中に自分の影を見た。神も私のそばにいて、私の祈りを見ていてくれる。私の願いを聞いてくれる。

軽い関係

軽い関係もある。友達の家に転がり込んだ学友が、他に当てがあればすぐに出て行く。

利害で結ばれた二人

経済的に依存した関係はかなり単純。金の切れ目が縁の切れ目。

惰性で繋がっている二人

惰性で繋がることもある。特に終りにする理由もない。

適当な距離感

二人が平和的に繋がるには適当な距離感が必要だ。近づきすぎれば、相手は自己防衛のため攻撃してくるだろうし、遠すぎれば疎遠になってしまう。

男と女

男女の問題は複雑です。私の理解を超えています。

たまたま選んだ男の出来不出来で女の幸せが決まるなんて、これほど不条理なことがあるだろうか。

恋という高揚状態から出会いが始まり、やがて別離が訪れ、物語は終わる。誰も百メートルのダッシュで走り続けることなどできない。徐々にスピードが落ち、やがては歩き始める。歩き始めるといろいろなことが見えてくる。目指す方向がちがっていたと。二つの直線は交差することはあっても、重なることはない。交差した後はまた離れていく。

もし二人の関係を持続するのが望みなら、方向を変え重なる部分を探し、離れることがないよう絶えず微調整をしていく努力が必要。

相手が異性ということで、相互に理解することは簡単ではない。女は共感を求め男は理屈を言う。相容れない一線です。女は解決策を求めているわけではない、自分に共感して自分を認めて欲しい。男は分析して解決策を探る。これだけ違うのに重なるわけがない。

男女の考え方の基本的違いは「女は子どもを産み育てることに専念し、男はそれを支え、外敵から守り、環境を整える」。女は自己中になるのも大変な任務を遂行するためであり、男は女のように子どもを産めない分、他の何かで自分を認めてもらいたい、自分の能力にふさわしい適当な居場所を与えて欲しい。社会に参加している意識が欲しい。

誠実さ

これほど男と女で意味合いが異なることはありません。男にとっては、約束を守ること、嘘は言わない、周りの人に公平な態度、安定した情緒などを評価して誠実さを見られています。男から見れば嘘つきでクソ野郎としか見えないクズ男が女にとって最高の男となるのがどうにも理解できない。たとえば、君が一番だよ、君が美しい、一生愛するからと言われて許してしまう、こういう男が誠実な男というのがわからない。男は社会の中で、女は二人の関係で決めてしまうからなのか。

整理整頓

ご主人の書斎が余りにも汚いのでやさしい奥様が意を決して整理整頓に入る。不揃いの書類を揃え、丸めたメモを捨て心地よい居場所を作る。

帰ってきたご主人が書斎に足を踏み入れて愕然とする。連綿と紡いできた思索の糸が切断され、構想の広がりに欠損が生じ、在るのは混乱と無秩序だけである。

でも誰も悪くない。二人のちょっとした行き違いが悲劇を生んだだけ。奥様はご主人の感謝を期待していたがそれは無理でしょう。

若いといわれたら

女性の場合若いといわれたら、実年齢以上に若々しく魅力的との誉め言葉になりますが、男の場合若いといわれたら、未熟という貶し言葉になります。

嫌いな唄

小坂明子が一九七三年頃歌っていた『あなた』という唄があります。

「郊外に小さな家を建て、優しい夫と、かわいい子ども、庭には子犬がいて、私は暖炉のそばでレースを編み、楽しく笑って暮らす」そんな生活が理想だ、夢だといわれると当時の私は世間はどうでもいいのか、他人はどうでもいいのかと違和感を覚えたものです。

若い女の子の夢だろうといわれれば、今は納得しますが、男の子だったらぶっ飛ばしてやりたい気分です。

脱コルセット運動

韓国から始まった「脱コルセット運動」は興味深い。女らしさ、美しさ、脱毛など女性として当然と思われてきた要求が性にともなう抑圧として認識され、もっと自分の気持ちに忠実な生き方をしようということらしい。社会が求めているものが女らしさであれば女を演じることが生きるために当然である一方、パソコンの前では一切男女の差など求められていないため女らしさを演じることがかえってマイナスになってきている。このような社会では女らしさを拒絶するのが当然となる。女らしさなどは時代が作り出した秩序の一形態といえる。

第一二章　家族

　社会構成する最小の集団としての家族は異論のないところですが、その背景が変われば形態は決まってきます。狩猟経済では父親はグループの一員として森に行き、グループ全体のために食糧を集めてくる。集めた食糧は分配される。父親の影は薄い。子育ては母親とその取り巻きによって行われる。ゆるい家族形態といえる。

　農耕が始まれば「土地の占有」がともに始まる。父親を中心に労働の集約が行われる。収穫は土地の形状、労働の集約などで違ってくる。収穫物が余剰になる家族もあれば、不足する家族も出てくる。余剰から富の蓄積が始まり、さらなる耕地の拡大、家族を超えた労働力の集約を経て、地域の有力者となる。

　集落の中のもめごとを収め、隣の集落との水をめぐる争いなどで力を誇示する。富が集積されればそれを暴力で奪いに来るものが生れる。もともと集落での競争に敗れたものや、落ちこぼれたものが集落の外で群れを成す。

土地の占有と富の蓄積は、その維持と継続のために、息子に引き継がれる。正当な継続者になるためには妻の貞節が必須となる。今のような「家」になるのは父親が資産の独占と継続、武士では家督、農業の土地、商店でののれん、子どもが真性の子であるために妻の貞節、もし子どもができなければ離縁の正当な理由になり、第二夫人もやむなしということになる。結婚して家を持つのは支配と秩序の継続のためです。親戚になるための政略結婚は血の繋がりが安定をもたらします。

これまでの説明で現在の父親、母親と子どもという家の形態は時代が求めた一時的形態だといえます。

夫婦

結婚は夫婦の愛情を基にして結ばれた最小単位の集団と言えるものですが、愛情は変わりやすい、もろいものですから、愛情に代わるものとして、結婚式を挙げて社会的認知を与え、生れてくる子どもはかすがいといわれ、世間、法律、道徳、宗教、教育こぞってサポートします。

しかし西洋では教会で神に誓っても半分は壊れてしまいます。キリスト教徒は嘘つきです。神の前で死が二人を分かつまで共に生きることを誓いながら、すぐに別れてしまいます。残りの半分はあきらめ、惰性、金の力、老後の不安で何とか繫がっています。

まもなく金婚式を迎えるお二人に心からお喜びを申し上げます。お二人は忍耐強く、妥協するべき所は妥協し、譲るべきところは譲る大人の対応には感心します。この先、死が二人を分かつまでお互いを慈しみ平和に暮らせるようお祈りします。

親子

子どもを持つ意義が薄れてきているようです。福祉のない国では新生児の死亡率が高いほど多産となります。誰かに生き残って自分たちの老後の面倒を見てもらわないとなりません。福祉のある国では子どもはなるべく少数に、共働きをして、年金の受給資格や年金額を増やそうとします。足りない分は他人の子どもの世話になろうというつもりです。

子どもを生み、高校を卒業するまで育てた親に年金の増額をするような政策が採られないと、子どもの減少に歯止めがかからないかも知れません。えげつない言い方をすれば、子どもを持つことが損か得かということです。得にならなければ増えません。

生れてくる子どもにとって母親はすべて。世界とは母親との関係。父親は添え物、社会の規範を押し付けてくる迷惑の存在。しかし、生活してゆくうえで必要な存在。物心ついた子どもが最初に出会うのは父と母とで作る世界。その世界は平和で信頼に満ち安心できる世界に違いない。

もしそれが暴力で満たされていたら、世界とは恐怖に満ち、暴力で決まる社会、おびえ、泣くことしかできぬ社会。この思いは一生消えない。大人になって穏やかに見える生活があっても、ふとしたことで過去にあった暴力の支配の世界がよみがえり、再現されていく。

人が持つ信念も生まれてきたときの環境、育ち上がり、教育が影響して形成される。

家制度

農業における土地、商業におけるのれん、工業における技術、武家における身分などの財産を次の世代に受け渡す制度が「家」といわれているものの本質です。

家制度では男子第一子を跡取りとすることが一般的ですが、いなければ養子を迎え、娘だけのときは婿を取ります。このように一人ひとりの幸せよりも家を守ることが何にましても大切なことになります。跡取りは家を次の世代につなぐため結婚して子作りに励みます。子ができないと家が滅びます。墓も守れず、先行世代の世話もできなくなります。

このように家とは愛情の問題ではなく継続の問題なのです。いまだに結婚式では○○家と△△家の婚姻と何の疑問もなく、取り行われています。これは婚姻が家の継続と、両家の繁栄の証であるからこそめでたいのです。

江戸時代の長屋住まいの庶民には財産もなければ家意識もありません。あるのはコアな家族関係だけ、かかあ（妻）、ガキ（子ども）、オヤジ（父親）、お袋（母親）となります。家の支配はなく、それぞれの暮らしが立ち行けばそれでいいのです。

未来の家族の形

年頃になった女性は旅に出る。旅先で男と恋に落ち子種を授かる。帰国して出産する。出産と育児には母親と取り巻きが協力者になる。父親がいないが特に問題はない。子どもと母親が暮らしていけるだけの経済的支援は国から出る。子どもが三歳になったら支援が打ち切られ、母親は無料の保育園に子どもを預け働きに出る。無料の医療費はその後も続く。大学までの教育費も無料である。働くものにとって税金は重いが見返りはある。資産ができても相続はできない。本人の死亡とともに国のものとなる。

父親は不明だが、母親は子どもにメモを残せる。「あなたの父親とはイタリアで知りあったの。陽気な男で、わたしには優しかったわ。絵を描くのが好きで、ときどきモデルになった。一緒に暮らしたのは短かったけど、とても幸せだった」

子どもは現実の駄目親父よりはるかにいいイメージを持てる。インセストタブーにも叶う。

混血が進めば五百年ほどで民族がなくなる。民族間の紛争もなくなる。もちろん好きな男と付き合うことは問題ないし、一緒に暮らしてもかまわない。

以前のような家族形態を希望するものは認められる。支援金は受けられない。父親が働いて子どもと家族の面倒を見て、老後は子どもが世話をする。しかし、財産の相続はできない。生前贈与は税金が重い。

解説
新しい制度の実現可能性

最も改めなくてはならないものは硬化した制度に対する思い込み（男と女が年頃になったら結婚して子どもを生み育て社会に送り出す、それが親の務め）を捨てること。それさえできれば現行の制度に手直しすれば実現できる。

相続税を九九％にする。

戸籍の父親欄を空欄にする。

母子の生活を子どもがたとえば三歳を迎えるまで国が保障する。

保育所の完備、保育料の免除。

医療費を無償にする。

教育費を無償にする。

これで世の中のトラブルを半分にできる。

子育ては福祉、教育ではなく社会による未来への投資家制度は女性につらい。
家制度は男にもつらい。

大家族

集団がどのような形態をとるかということはその集団がおかれた環境によって決まる。環境が苛酷であれば組織をかため、厳しい取り決めを定めなければやっていけない。農業と大家族制はその土地で生きていくために見つけ出された最適な方法だといえる。

まず食糧を確保しなければならない。季節の移り変わりを感じ、作付けをし、必要な作業を重ね最終的には収穫にいたる。そのためには人をどのように配置して、どのような作業を的確に進めるのか指図する人が必要となる。それが家長である。

グループ

比較的人数の少ない、空間と時間を同一にできる集団はグループと呼んでもいい。グループも比較的人数が多ければ、リーダーを選出し、役割を分担し、それぞれが依存しあい、目的を達成していく。

少人数のグループだと分化が十分ではない。リーダーと呼べる人もはっきりしない。何とはなしに流れていく、その場その場で誰かが必要な役割を担う。

さらに未分化のグループは時間と空間を共有するだけで、例えばチケットを買ってコンサートに集まった聴衆など、コンサートが終われば、ばらばらになってしまう。

職場

会社にとって必要なものはあなたの一部だけなんです。残りのものはあなた自身で折り合いをつけなければならないのです。しかも、その一部は他の人にすぐに取って替われるものです。「会社にとって自分は必要な人間だ。自分がいなければ会社が困る」などと考えないほうがいいですよ。

会社が困っていることを確認するために、定年後に会社の顔を出すなどやめた方がいいです。

老いについて

生あるものは必ず死が訪れます。老いは生の最後の段階で死の手前になります。そんなことは誰でも知っています。知っていることとそれを受け入れることとは別です。年寄りは引っ込めと、邪魔にされているのはわかります。でもどこに引っ込めばいいのでしょう、それに今まで手にしたものは決して手放しませんから。

新しいこと、便利なこと、お得なことがそんなに素晴らしいことなの

若い頃は変化のない生活はつまらなく、明日は今日と違うようにと祈ったものでした。でも年をとると、今日は昨日と同じ、明日は今日と同じようにと祈るのです。変化はいやなのです。このまま毎日が変わりなく過ぎていくのが一番です。

死ぬ時

死ぬのは仕方ないとしても、苦しまないで死にたい。痛いのもいやだ。できれば眠るように死にたい。病院ではなく自宅で家族に見守られながら死にたい。ピンピンコロリも悪くない。葬式は派手でなくてもいいから人並みにやって欲しい。月命日といわないまでも年に一度くらい墓参りして欲しい。ときどき自分のことを思い出してください。

こんな風に死にたい

縁側に座りお茶を飲みながら、空の青さを楽しみ、草木の変化に季節を感じ、連れ合いと昔話をする。そして疲れたので少し眠ると言い、横になる。そのまま起きることなく天国に召された

い。

生は死の存在によって光り輝く

子どもを御覧なさい、何の屈託もなく輝いています。彼らは死を意識すること、やがて自分たちも年老いてこの世から消えていくことなど微塵も考えない。だから陰影がない、深みがない、面白みもない。大人になって死を意識してから、光には影があること、やがて光が弱くなり、陰が勝り、闇のなかに消えてなくなることを悟る。だから今の生をいとおしく感じ、残された生を精一杯生きてゆきたいと思う。

跡目争い

身分制度がはっきりしていた江戸時代や現代のお金持ちの家では誰が跡を取るのか最大の懸案事項となります。子どもが一人なら問題がありません。病気がちとかできの悪い子どもだと心配の種になります。子どもが多いとその点安心ですが、今度は跡目争いがおきます。

身分や資産の相続がないと平和ですが負の遺産が残ります。親の面倒を誰が見るのかということです。もともと身分や資産を受け継ぐということは負の遺産である親の面倒を見ることも含まれています。押し付け合いが始まります。親には自立してもらうか、最後には国のお世話になるしかありません。

死者に財産権はあるのか

死んでしまえば全てなくなるはずなのに財産権はどうして認められるのでしょうか。遺言は財産の処分権を死んだ後に認めている。死んだ瞬間に全て国のもの、後に残った人のものにしてもいい。もしそれがいやなら生きているうちに全て処分すればいい。

最後の善行

死んだらあの世には持っていけないのです。財産は血縁者に残すのではなく、全ての子どもたちのために使いましょう。現世ではかなりえげつないことをして貯めたお金も等しくよその子にも使うことで、地獄の閻魔さまも寛大な処遇を与えてくれるはず。

集団の中の集団

ある集団の中では比較的バランスが取れてハーモニーな状態でも、その上の集団のありようによって下位集団が大きな変容を余儀なくされるときがある。

第一三章　集団の変容と崩壊

集団の変質

目的

集団の目的や目標はしばしば変化する。ある目的を持って集団を組織し目的達成のため力を合わせて頑張る。目的達成の後は組織の維持が新たな目標となる。それまで役に立った組織は障害物になる。不必要になったものは処分や改変し、新たに必要な人材、組織が早急に準備されなければならない。それができなければ組織は滅びてゆく。

ゆるい目標であればしばしば自然に消滅する。それにつれて構成員の結合も失われてばらばらになる。

権力の横暴

権力者の通弊は何をやっても許されると誤解すること。

一般人なら決して許されない殺人が権力者においては許されるということ、その甘美な誘惑に負けてしまう権力者が多い。

権力者はしばしば無理難題を押し付けて権力者の威光を楽しむ。黒いカラスを白いカラスと言い立てて、周囲のものに白いカラスと言わせること、要求がばかばかしいことであればあるほど、言わされる側は屈辱感を強め、自分の無力であることを悟る。『ウィリアム・テル序曲』の中で、槍の先に帽子を掲げ、そばに立っている役人が通行人に敬礼を強いたのはさもありなんというところです。

こんな逸話は数多くあるが、これで体制が危うくなることはない。体制の末期においても庶民は日常生活が何とか送れていけば、体制を覆すなどと考えることはない。追いつめられて、それまでの普通の生活すらできなくなったとき、体制に対する疑問、不満が生れる。その時とは自然災害が最も多いだろう。

地震
火山の爆発
津波

伝染病

異常気象と飢饉

しかしながら、こんなときでも民生が安定していれば、一致団結して国難を乗り越えようとなる。体制が危うくなるときとは、潜在的不満があって、指導者が適切な方針を示せず、混乱が長期化し，英雄待望論が生まれ、救国の英雄が登場する。結論としては〝そのときを待つ、そのときに備える〟ということになる。

第一四章　典型的集団の考察

やくざの組織論

やくざのトップには全能感が漂う。私に逆らう者は神に逆らうものである。その者には罰が与えられる。

親分（貸元）のもと、子分（舎弟・若衆）が階層を作っている。
若頭（代貸）、舎弟頭、若衆など
親分と舎弟・若衆とは杯を交わし、忠誠を誓う。
上納金は会を維持するために必須。

ヒットマン

映画で見ただけなのでなんともいえませんが、彼らの組織論で感心させられたのは〝鉄砲玉〟もしくはヒットマンの存在です。殺したい敵対者がいると組員の中から適当なものを選び、暗に仕事を命じます。言われたものは敵対者と事前にちょっとしたトラブルを起こします。たとえば道ですれ違いざまに肩が触れたなど、衆人環視の中ではっきりと印象付けます。後日、敵対者が組の誰かによって殺されます。そしてヒットマンは使用された拳銃を持って自首します。

警察は犯行動機、弾道検査などの物的証拠、拳銃の入手経路を調べますが、結論は個人的怨恨による単純な犯罪となり、せいぜい四、五年で出所します。後は約束どおり幹部に取り立てられてメデタシメデタシとなります。

やくざの支配領域

島・なわばり

他のやくざの侵入を防ぎ、店からみかじめ料を取り他のやくざにチョッカイを出させない。おとなしくしている限り保護される。

車を運転中、パトカーを見ると、緊張が走る。少しの違反をとがめられ懲罰を与えられるかも知れないからである。

肩で風切るやくざを見ると素人衆は道を空ける。係わり合いにならないように視線を避ける。

オウム

オウムは王国を目指した。

麻原教祖を王に据え、日本国と対峙する。麻原は神の意向を弟子たちに伝え、今の乱れた日本を正しい方向に導こうとする。王国は当然戦争も辞さない。必要な武器、兵器をそろえて攻撃の機会をうかがう。もちろん、正しい彼らに立ちはだかるじゃまものを排除しなければならない。たとえば、刈谷、坂本弁護士、日本国家の手先である検察、日本政府の中枢霞ヶ関、ポアこそ邪悪な人間を正しい方向に導く、神がお認めになる正しい手段だ。

戦争に敗れた王は臣民と日本国民の前で堂々と自己の正当性を述べ、自決すべきであった。二階の隠し小部屋に隠れ、水とお菓子と現金を握り締め、ひょっとしたら逃げおおせるかもしれないと祈りつつ、震えているような無様な格好をさらすべきではなかった。

彼は社会に復讐したかったのではないか。「障害があるが、優秀な頭脳を持つ私を正しく正当に遇する方法はあっただろうに、私は不当な扱いを受けた。世の中のほうが罰せられるべきである。私はこの頭脳と巧みな話術をもって世間のものに後悔させてやる」

最大の疑問　なぜ知的な若者が犯罪者になったのか？

オウムは輝いていた。他の宗派にはない、ある種の若者が惹かれる教義、目的、方法を提示できた。各々が持つ苦悩を乗り越え、社会に貢献できるのはこの宗派しかないと思わせた。

麻原は自分が信じている、いないかに拘わらず、若者の欲している言葉と夢を与えることができた。麻原を絶対視した後は彼の言うがまま、殺人すら正しいことと信じてやってしまう。その中にいると、人はこんなにも簡単に狂気に支配されてしまうものか。空恐ろしい。

オウムの生成過程

ヨガ道場　オウムの会↓オウム神仙の会↓オウム真理教

勧誘の方法

一般の信者を増やすために、オウムであることを隠し巧みに会に誘う。最初は親切に、だんだん厳しく。

自発的に取り込まれる第一段階

生きていても面白いことが何もないという若者。若者の孤独感、不安感。

自己を高めたい、世の中のために何かしたい。

このおぞましい社会を変えていきたい。正義の実現に人生をささげたい。

霊的現象に興味がある。

自分が自分らしく生きられるところはここだけ。

修行と会への奉仕活動

指示が明確、まずこれをやりなさい。

頭の中を空っぽにさせ、オウム以外のことを考えさせないようにする。

家族の財産を申告させ、寄付（布施）を強要する。寄付によりステージが上がる。

熱中する。「君たちのやっていることは絶対に正しい」「これこれの修行を重ねれば悟りにいたる」との明確な目標の設定。

小部屋に閉じ込める、食事をほとんど与えない、脳に電流を流す、ヘッドギア、熱湯風呂、覚醒剤、麻薬、ＬＳＤなどを用いる。異常体験を持って悟りとする。

階級と上向志向

いくつかの階級（ステージ）を作り、競わせる。上に進めば優秀となり、プライドが満たされ、下位のものをばかにできる（承認欲求）。

逃げられない指令

指令は直接麻原からあり、指令は絶対であり、他人に漏らしたり、横の連絡はさせない。背いたらポアされるとの恐怖心。

実行

オウムが世に知られて、マスコミに取り上げられるようになり、何人かの芸能人、大学教授、宗教家などに賞賛されて、調子をこいて選挙に打って出たものの、惨敗し暴力志向が強まる。

逮捕と処刑

裁判で嘘でもいいから自分の正当性、「国家の将来を憂いてやった」といえば歴史上の人物となれたのに、死刑を逃れるには狂人を装うしかないと詐病するとは、やはりクズ野郎としかいえない。

閉ざされた空間

集団論からみるとオウムは特異な集団といえる。外部との没交渉、内部だけに通用する価値観、決まり、しきたり、罰則、外部にたいする敵意と結束。

教祖

宗教家として神となり、王国の絶対権力者として、女を好きなだけ抱き、うまいものをたらふく食べ、いやなやつを殺し、このうえ何を望んだのだろうか。まだ終わっていない。自分を不当に扱った世間にたいする復讐、世間に目にものを見せてやる。

第四部　結びとコロナ

第一五章　雑感　思いついたこと

「私は価値のない人間だ」とおっしゃるあなた、
でも目の前の石を動かすことができるのはあなただけでしょう？

好き嫌いだけでものを言う人が苦手です。それに欲を絡めてくる人はよけいに嫌いです。

「良かれと思って……したのに」これほど迷惑なことはありません。これを言う人は、まず自分がいい人、悪意のない人という思い込みがあります。だからやっていることが余計なことだとか、迷惑なことかもしれないだとかの想像力が働きません。困った人たちです。

親分が嘘つきなら部下も嘘つきになります。親分が嘘が嫌いなら部下は嘘をつきません。親分が耳の痛いこともとりあえず聴いてくれる度量を示せば意見が盛んになります。親分が批判されることを嫌えば、皆沈黙します。

みんな仲良くとか、手を取り合ってとか、とぼけたことを言えるのは平和な世の中だからです。戦争になれば、お国のために敵を殺そうとなってしまうのです。マスコミが日本の素晴らしさを繰り返し訴えかけます。「日本はすばらしい国です。この国を狙っている邪悪な国があります。みんなでお国を守りましょう」とか、教育で国を守ることの大切さを教えています。「銃を持って立ち上がり、お国のために働きましょう」ということころにいきそうです。

優生保護法による断種、出生前診断、相模原の殺傷事件など根は同じ。でも、生れてくる子どもに五体満足を願う親の気持ちは自然な感情。

テレビで歌手の八代亜紀さんが紹介したモンゴルの古歌で「この世に真実は二つしかない。生れてきたことと死ぬこと」。まったくその通りです。

絶対……というのはみんな嘘です。

人は皆欲で動く。夢とか希望とか小ぎれいな言い方をするけれど、煎じ詰めれば人は皆欲で動く。男はうまいものが食べたい、いい女とやりたい、金持ちになりたい、えらくなりたい、女はおいしいものを食べたい、きれいになりたい、いい男の種が欲しい、お金が欲しい、すべて欲である。これは人として当たり前のことで、これがあるから人類はつながってこれたとも言える。

女優の仕事も大変です。いつまでも輝いていなければならず、美容整形してしわを隠さないとなりません。でも死は避けられず、美しいままで死にたいのでしょうか。

オリンピックで○・○一秒早く走ることがそんなに大事なことなのか。

パラリンピックの意義は何でしょうか。「人は障害の有無、能力の差で差別されない」という理念の下に開催されるはずだ。しかし同じ障害のある人の中で、一番健常者に近い人が表彰されるような大会に見える。

どんな境遇の中でも最大の努力をしている人は美しいといわれてしまえばそれまでですが。

犯罪は社会の産物か。

日本人は節操がないですね。特に第二次大戦後のそれまで「鬼畜米英」「徹底抗戦」と言っていたのに敗戦後は「平和日本」「ウェルカム・アメリカ」ですよ。この変わり身の早さは驚きです。でも確かに流れには乗っていますよ。

私の中ではまったく変化などなかったのに、年号が平成から令和に変わるとき「平成最後の、または令和最初の」と胸くそ悪いフレーズを繰り返したあなたは注意が必要です。日本バンザイ、お国を守りましょうと日の丸の小旗を振りそうです。

慰安婦問題の根底にあるのは韓国の人々は日本人が嫌いなのです。歴史的にみても文化伝来では世話になっておきながら、秀吉をはじめとして度々軍事的侵略を繰り返し、戦後の謝罪も金で解決済みとはなんと無礼なことか。仲良くなるために必要なものはお金ではなく、心からの謝罪なのです。

大和民族など純潔種ではありませんが、こだわる人もいます。こんなに移動が簡単になって、あと千年もすれば混血だらけ、二千年もすれば世界中おんなじ人種になってしまうでしょう。

2020／11／15

トランプ政権の悪あがきが続いていますが、ヨーロッパ系アメリカ人は潜在的恐怖をアフリカ系、アジア系、ラテン系アメリカ人に感じているのではないですか。あと五百年もすれば自分たちが少数派になり、今度、自分たちがいじめられるかもしれないと。民主党の白人は許せない、あいつらは裏切り者だ。

ポルポト派の反知性主義、知性に対する憎悪はなんとなくわかる気がする。でも、ポルポト派が医師、教師、弁護士等を殺害したのは誤りです。自動車事故は車が悪いのではなく、運転手のせいです。怒って車を処分したら移動が出来なくなります。

若者にとって絶えず世界は壊すべき対象だ。壊して保守派に退場してもらわなければ自分たちの出番はない。何が良くて、何が悪いのかやってみなければわからない。

非寛容な時代

芸能人が反社会的勢力と接触、闇営業をしたとして処分。そもそも芸人とはサラリーマンと違い、日常を逆転させ笑いを生むのが仕事、少々脱線して当たり前、それを凡庸の民の倫理観を押し付けてなんとする。

非寛容といえば賞味期限についての厳格さはなんだ。美味しく食べられないというだけで、食べられるのに捨てるとはなんという罰当たり。動物なら生死にかかわる問題なので匂いをかぎ、色を見て、少々口にしておかしかったら吐き出し、命を守る。ところが愚かな人間は自分の五感を信じられず、数字を信じる。

マイナンバーの行方

菅首相がマイナンバーカードの普及推進を指示した。利便性を考えれば全面的に否定することもできないが、問題も多い。

データの中身

運転免許証、医療保険証、年金などの一本化、銀行口座との紐つけ、個人情報の登録、学歴、犯罪歴、病歴などすべて情報化可能なもの。

真の狙い

すべての国民を効率よく管理することが可能となる。裏の狙いは捕捉の困難さから逃れてきた預貯金、隠し資産などの動産の把握とそれに対する課税。

忘れ去られる権利

思い出されることもない、祖先から続いてきた列の中に静かに入りたいと思っても数字がそれを許さない。数字を打ち込むと、亡霊のように現れる。知られたくない現実が白日の下に晒される。静かに眠らせて欲しい。放っといてくれ。

データは誰のもの

データは国のものではなく個人のもの。いつでも閲覧する権利、修正を求める権利、削除する権利、削除したものを復元させない工夫など保証されなければならない。国民の不断の監視下に置かれなければならない。

データをめぐる争い

軍事力を用いて他国を征服する必要はもうないのかもしれない。その国のデータを盗み取れればその国を征服したことと同じになる。

売国奴とはデータを盗み出して他国に売り渡す人のことを言う。

（特別）コロナ日記

一月二九日に新型コロナウイルスの感染で中国武漢市から飛行機で日本に帰還した第一陣の中で二名が厚労省の職員の説得にもかかわらず自宅に帰ってしまったことを受け、日本維新の会の馬場何某が「だから憲法を改正して緊急事態条項を設けるべき」と発言した。このような発言こそ火事場泥棒的発言と言うべきで、その後強権によらずとも二人は周囲の人に言われ、隔離に応じている。現憲法下でも強制収容もできる。

コロナについて

２０２０／４／10時点で書いています。新型コロナウイルスの拡大で世界が混乱しているなかで、もしこれが生物兵器として使われたらと危惧しています。原子力兵器と違い、保管も移動も簡単です。弱小国でも、場合によってはオウムのような宗教団体が世界を刷新したいと思い、開発に乗り出したなら人類の滅亡も視野に入ってきます。

新しいウイルスとワクチンを手中にしたら自分たちだけが世界で生き残ることができます。これを大都市にばら撒けば防ぐ手立てはあるのでしょうか。コロナが人同士の接触、交流で伝播することを考えれば、例えば洋上のある島をいくつか選び、外界とまったく隔絶し、独立した生活を営むことで対抗できるかどうか疑問です。

2020／4／27 どうやら筋書きが見えてきました

ＰＣＲ検査の数が他の国と比較して異常に少ないのは最初の方針を決めた厚労省の医系技官が日本の医療を守ることが使命と感じ、合わせて自分たちの権益を守ることと考え、医療崩壊を起こさないために感染症法に沿って故意に検査数を抑えた結果のようです。平常時の対応で異常事態を乗り越えられると判断した。しかし、事態は彼らの予想をはるかに超え、無症状者からも多数感染をおこすことで統制不能になりました。要するに想定外のこととなると万事窮す、ギブアップです。

2020／4／28

自粛依頼に従わないパチンコ店を強制的に閉めさすという西村大臣の発言がありました。これこそ国家権力の正体見たりの感があります。どうして閉めないのか理由をたずね、資金手当てをすることこそまともな対応ではないですか。それを強権力を持って従わせるということは国家権力の持つ暴力性が現れている。さらにいえば国家にとって民が何人死のうが痛くも痒くもない、秩序がある程度保たれればそれでいいのです。

2020／5／1　権力者はどこに？

通常、権力者といえば国難の折に強いリーダシップを発揮して国の行くべき方向を指し示すはずですが、安倍首相にはその気配が感じられません。どちらかといえば高級官僚みたいです。周りを気にし、従来の規則を超えられず、自分の身を守ることは忘れず、下々が死のうが気にせず、格好のいいところは逃さず、失敗の責任は下のものに押し付け、自分は偉大だと思うような人ではないことを祈りたい。

2020／5／3

緊急事態宣言を五月いっぱい延長するとのニュースに暗くなる。国の政策失敗で自殺者が増える。感染者が一桁になるまでなら二年程度かかる。経済が死ぬ。五月六日で規制は全て解消すべき。感染者が増えることはやむを得ない。歴史的に見て、感染症は森林火災と同じで消える時は燃えるものがなくなったとき、みんな感染すれば終わる。

医療関係者は死亡者が少なくなるよう急性期だけ対応すればよい、後は患者を用意されたホテルへ入ってもらい、一週間後に感染力がなくなるので、検査もやらずに自宅や職場に帰せばいい。感染期に死亡者が出ることは仕方がないことで、医者のせいではない。不当な差別や、中傷にめげず、淡々と仕事をこなしていけばいい。

2020／5／4　ニュージーランドを目指すのか？

ほぼコロナが沈静化したニュージーランドは今後どうなるか。鎖国を続けるためには国外から入国者を二週間隔離するのか、感染者は入国させずに追い返すのか。自国民の国外渡航者が帰国する際にはやはり二週間隔離するのか。こんなことが続けられるはずがない。観光業は完全に破滅である。

日本がニュージーランドを目指すなら、観光立国はおしまい、オリンピックは中止、国外への工場などの店舗展開は縮小するしかない。小さな、がんばらない国を目指すことになる。

2020／5／5

「新しい生活様式への移行」とはつまるところ文明から離れた生活に変えるということか。文明とは他人との共同、共感、交流の上に成り立つもの、ウイルスは文明の隙間を縫うように蔓延する。

昨日の首相、感染症の専門家の会見はお粗末だった。統計における基本である分母の数を言わないこと、特定の候補者に絞った分母の抽出など、これでは信用できるわけがない。これに加えて死亡者数は言っても年齢別分布、持病の有無など一度も聞かない。それが分かれば社会的影響も評価できる。

2020／5／9

新型コロナウイルスに対する基本的対応には二つある。感染症にかかることが防げないと考えるか、防げると思うかの違いである。対策が百年前のスペイン風邪の時から何の進歩もないことを考えれば防げないと考えることにも一理ある。目指すは六割程度の免疫獲得を目指し、二、三年かけてソフトランディングを考える。経済活動は止めない、感染者の重症化はさせないように努力するが、高齢者や持病を持つ人のある程度の死亡は避けられない。感染が拡大してもその頃には免疫ができた人が経済活動に復帰する。偏見も差別もない。彼らは英雄である。

一方、感染を抑えようとする国では都市のロックダウン、ステイホーム、経済活動の停止をする。うつってはいけないと疑心暗鬼となり、偏見や差別が広がる。一時的には感染が収まるが、免疫を獲得した人が少ないため第二波、第三波がやってくる。感染症への恐怖と以前の行動には戻れないという萎縮が支配する限り、経済活動が停滞し、失業者があふれ、若年層の自殺が増大する。国内は落ち着いても、国外からの入国はいつまで止めるつもりだろうか。入国させればコロナも入る。

日本ではどうか。厚労省の封じ込め作戦の失敗により、結果的に集団免疫の獲得に向かうのではないか。ＢＣＧのおかげで死亡者は少なく、経済活動は完全に止まることなく、テレワークが当たり前になって産業の効率化につながった。急ぎ広く全国民の免疫を調べ抗体を持つ人にコロナの罹患する危険な仕事への協力をお願いしたらと考える。

2020／5／11

新聞報道で知り、二〇一三年一一月の「新型インフルエンザ等対策政府行動計画」を見ました。さすが官僚はすごい、全てが網羅してありました。その中で、新型ウイルスの感染防止はできないと書いてあるではありませんか。

感染者数が一時的に増加することは医療崩壊を招くため避けなければならず、なだらかな上昇下降を数年にわたって繰り返し、集団免疫に導く、そのなかで経済活動は抑制しないと言うのが正解みたいですが。もちろんオリンピックは中止。

2020／5／15

いよいよ規制の緩和が始まりました。この先どうなるのでしょうか。以前、新型コロナの感染をどのように理解するかというとき〝行き過ぎた文明をコロナがたしなめている局面〟と言いましたが、都市への一極集中、グローバリズム、交通手段の発達、人口の増加などが続く限りコロナが蔓延しやすい環境が持続します。文明社会をそのまま持続させようとする方針のもと、できるだけコロナに罹らないという方策では出口に到達することはできませんし、経済が死にます。

罹ってもよい、検査を徹底して、罹っていない人や免疫を獲得した人は規制がなく、罹った人の分まで働く、一方罹った人は重症度に応じて対応する。秋には大きな第二波が来るといわれています。医療崩壊が起きる前に、患者の選別が必要になるかもしれません。救うべきは子ども、若者、仕事を持つ人などで、残りは、強い人が生き残り、弱い人が死ぬという自然の摂理に任せる他ありません。

交通事故で年間一万五千人も死んでいるのに、車を止めることをしなかった一方、千人の死者、しかも重傷者は手厚く加療、介護を受け、経済まで殺してしまうことのバランスの悪さを感じてしまいます。しかもコロナでは老人と持病のある病人が亡くなるのに、交通事故では若者です。こんなことを書くと、人権主義者が現れて、人の命をなんと心得る、人命は地球より重いと、正義おじさんと同様、水戸のご老公の印籠を持ち出してくることと思います。

2020／5／17

遅くても秋には第二波がやってくるといわれています。今度も前回のように国民の協力が得られるでしょうか。答えはＮＯです。国は援助しますとの決意表明を繰り返すだけで助けてはくれませんでした。病人が死んでからお薬を届けてもらってもちっともありがたくありません。人は嘘を付かれると二度と信用しません。言うことは聴きません。自粛要請、とりわけ閉店の要求は暴力です。

暴力とはその人の意思に反して、無理やり別の状態にすることです。暴力でない大人同士の交渉なら、たとえば、役人がやってきて

「お願いがあります、コロナ感染を止めるため、店を閉めてください」

「いや、できません」

「なぜですか」

「店がつぶれてしまいます」

「どれだけあればお店がつぶれませんか」

「月約五〇万です」

「ではここに一五〇万ありますから、三カ月間、店を閉めてください」

「分かりました」というのが人に頼みごとをする時の常識というものです。

2020／5／22

自粛解除も間近に迫り、この辺で中間総括。厚労省の「見て見ぬ振り」で医療崩壊は守られたが、感染症的には「見てすぐ隔離」の方が良かった。経済も動き始めた今「罹ってもええよ！」に変えないと、萎縮したままで元に戻ることは無理。

大体コロナに感染することがいけないこと、避けなければいけないこと、場合によっては犯罪者みたいに思われることがある以上、体のいい自粛つまり「新しい生活様式」に従うしかない。

これはコロナに対する敗北宣言です。いつまた自粛が求められるか分からない時、誰も資本を投資して、新しい事業を始める人などあろうはずもなく経済は死んだまま。

スリムクラブ真栄田賢の怪物フランチェン、大西ライオンのギャグを借りて、「コロナに罹ってもええよ！　心配ないさ〜」と行きたいところです。

2020／5／25

冗談と受け取って欲しい感染ツアーの企画。観光、ホテル業が大変な時、広大な敷地を持つホテルに感染希望者を集め、コロナ村で何でもありの楽しい療養生活を送ってもらい、二週間後に抗体を持ち、コロナ怖くない身体を作るツアーです。

もうマスクもいらない、フェイスシールドもいらない、満員電車も怖くない。三密気にならない。敷地内散策自由、宴会ＯＫ、テレワーク可、すでに抗体を持つ職員と医者、看護師常駐。どんなもんでしょう。クルーズ船を借り切って二週間の船旅に無料招待というのはどうでしょうか。政府の費用負担で感染者を乗船させ抗体を持つ人が接客し、楽しいひと時を過ごしてもらい，下船時には陰性証明書を手にして帰宅できます。

2020／5／31

激動の五月も晦日を迎え、つたない文明論をお許しください。農業の開始と共に始まる文明はとどまるところを知らず、陸上、海、空、宇宙へとより大きく、より早く、より深く、あくことなく利潤を求めてやみません。人間の住む世界も拡大を目指し、地面を掘り返し、森を畑に変え、生き物の安住の地を次から次へと奪っていきます。地球はいつから人間の所有物になったのでしょうか。以前は離れ離れに自分の領域に静かに暮らしていたのに、人間が分も弁えず触ってはいけないところまで手を伸ばして触れてしまったのが新型コロナウイルスではないですか。コロナは文明と共にあります。文明に付きまといます。

2020／6／1

ようやく六月を迎え、規制緩和が始まりました。果たして秋までもつのやら、再び規制が始まってもまじめに従うつもりはありません。この厳しい規制が何を目指しているのかはっきりしません。もし感染者ゼロを目指すのなら、それは無理というしかありません。

万が一、国内的にできても、外国から來日する人を全員検査するのですか。もし、密入国者がいたらどのように阻止するのですか。

そもそも、感染者を出さない、家に自粛してウイルスをやり過ごそうという方針がそもそも間違っているのではないですか。経済活動を行っている限り感染は防げないというのが私の考えです。したがって「コロナに罹るのは仕方がないよね。罹ったら死なないように治療してもらって、だめなら運がなかったとあきらめる。運よく治ったら、危ない仕事に率先して立ち向かう」ということしかないんじゃないのかな。

2020／6／2

東京に第二波が来そうな時に中間総括

三密を避けようという「日本的方式」の成果を誇らしげに語って宣言を解除したとたん、雲行きが怪しくなってきてしまったようで、安倍首相はどうするつもりでしょうか。思い付きのアベノマスクの配布、根拠がまったくない小中学校の閉鎖、地域差をまったく考慮しない緊急事態宣言など一連の施策をみると、指導者の良し悪しが日本国民の幸不幸に直結することが改めて分かりました。しかし、そんな政府を許したのが選挙での国民の一票で、その結果ですから仕方がないのかもしれません。

感染症学者は聞かれれば人と人との接触を断てばコロナ感染を収束させられるという極めて当然のことを言う、しかしそれでは経済が死ぬ。そこで政府の出した方針が「ワクチンができるまでコロナウイルスに罹らないように逃げ回りましょう」でした。多少の倒産には目をつむり、自粛を強要し、人間関係をめちゃめちゃにし、人々の希望を奪いました。

しかも、日本政府は数々の憲法違反を行いました。集会の自由、移動の自由、職業選択の自由など。今後、被害を受けた人から訴訟を起こされたらどうなるのでしょうか。まさかお願いしただけで強制はしていないなどと言うつもりでしょうか。

2020／6／3

ようやくアベノマスクが我が家にも届きました。全世帯配布とのことでしたが我が家は三人で二枚、どう分ければいいんでしょうか。安倍首相いわく一住所一セット配布とのこと。

報道によれば岩手の学生寮三百人に二枚だけ配布だそうで、なんのこっちゃという感じですね。一住所一セット配布でみんなに行き渡ると考える頭の悪さ、杜撰さにはあきれるばかりです。周りにイエスマンしか置かないからこういうことになるんです。

2020／6／13

暑い日が続いていますが、いつまでマスクを続ければいいのでしょうか。感染者がゼロになるまででしょうか。多分コロナに対する恐怖がなくなるまで着けなければならないということでしょうか。それはいつのことですか。恐怖なんてなくなることはありません。お店を再開してもいいですよといわれても元に戻ることはありません。恐怖心が消えないうちは元に戻れません。

2020／6／28

規制がなくなりだいぶ以前の景色が戻ってきたところ、東京都の感染者数が五〇人を超えてなんとなく怪しくなってきた。再び東京アラートを発動し、自己規制を求めることができるのか。そもそも今回の規制は最初から憲法違反ではないかと思っています。個人の移動の自由、集会結社の自由、職業選択の自由、教育を受ける権利などが制約されました。

非常時だから仕方がないという人がいますが、私に言わせれば非常時だからこそ諸権利は守られる必要があります。じゃ政府が「某国が日本を侵略する証拠が見つかった。非常時だからあらゆる私権を制限する」と言ったら、あなたは従うのですか。

国は時々間違えることをします。そんな時、個人は監視して批判し、抵抗することができると憲法は言っているのです。今度のコロナ騒ぎをみて、日本人があまりにもお上の言うことに従順なのに驚きました。お店を潰されても黙って従っているのです。これは個人の権利が戦いの中で勝ち取ってきたのではなく、棚ぼた式に与えられた歴史的背景のせいなのでしょうか。

2020／7／9

コロナ感染の第二波が東京に襲来かとささやかれている。そろそろ感染を肯定的に受け止める時期が来たのではないか。罹ることは仕方ないこと、新しい生活様式などではとても防げないこと、感染を受け入れて元の生活に戻ること、感染者の治療は従来どおり行うが全員を完治させることは物理的に難しいこと、抗体保持者の社会復帰を急ぐことなどコロナとの共存を前提にした施策にいかざるをえない。

風が吹いても雨が降っても仕事に行くように、風が吹いても雨が降ってもコロナが来ても仕事に行くとはならないのか。百年後の歴史書に「日本はcovid-19に救われた。意味のないオリンピックが以後中止となり、働くことがＡＩを中心とした形態に移行し、七〇歳以上の老人が多数死に二〇二五年問題が解消した」と記載されることもありうる。歴史はどう評価されるか分からない。

2020／7／14

以前、感染者が国内からいなくなることなどない、なぜなら密入国者をなくすことなどできないと書いたがもっと大穴があった。沖縄のアメリカ軍から大量の感染者が出た。成田、羽田などで入国者の検疫を厳重にやってもこれでは意味ないんじゃないでしょうか。

ＧｏＴｏキャンペーンの前倒しを批判された菅官房長官が「いずれにせよ感染者がゼロになることは無いので待ってはいられない」と言っていました。なるほど、感染者をなくすのは無理と判断したようです。このまま感染者が増加すればあきらめ感が生まれ、一カ月後には潮目が変わるかもしれません。つまり、コロナを受け入れよう、罹るのはしょうがないよね、日常生活はこのまま続けるけど、なるべく死者を少なくなるよう努力は続ける。しかし、ある程度の犠牲は容認しようとなるのでしょうか。

2020／7／31

七月も今日で終り、コロナは第二波の始まりかという時、簡単な総括を。ステイホームを強要され、他人との面会も禁止された老人はこの先どうなるのでしょうか。足腰が弱って持病が悪化し、認知症に罹る人が増えていきます。事態が悪化した時、あわてて政府が皆さん街に出ましょう、運動しましょう、人と交わりましょうといっても手遅れです。この責任はどうするのでしょうか。

老人以外にも、それまでコロナの恐怖をばら撒き、自粛を命じた政府は経済が壊れていくのを目の当たりにして、態度を一変、ＧｏＴｏキャンペーンでお金を使おうといっても、楽しめるわけがありません。人に命じるばかりで、検査の拡大を怠っている政府の責任は重大です。非感染者にまで自粛を強要することは経済が死んでも当然です。検査・隔離を徹底して、非感染者には経済を支えてもらい、感染者には自分が感染者だと自覚させることが肝要です。政府が動かないので、地方自治体に期待するしかないのでしょうか。

2020／8／08

安倍首相が辞めることになってマスコミの論調も次期総理への期待感に関心が移ってきたようです。執念の憲法改正はかなわず、レジェンドといえば「アベノマスク配布」「コロナに負けた指導者」「巧みな政治操作で最長内閣」となりましょうか。安倍はコロナに負けた。経済をめちゃくちゃにした。次期総理はコロナを収束させ、経済を立て直しできるかどうかが自民党政権が持つかどうかの瀬戸際ということになります。しばらくお手並み拝見としましょう。

2020／10／1

東京からのＧｏＴｏキャンペーンが始まったところで中間総括。

最初に新型コロナが始まったとき「この感染症の拡大を許してはならない。なんとしても押さえ込まなければならない。皆が協力すればそれは可能だ」という政府、東京都の方針は誤り。新型コロナはそれまでなかった新しい感染症で、正体も分からない、治療法も分からない、したがって「新型コロナを押さえ込むことができない」というのが正解。残念ながら感染者がある程度出て、死者も多数になるのは歴史的必然なのです。

慌てた政府は感染症の専門家に助言を求めた。専門家によらずとも、感染は人と人の「接触」によって伝播するのは明らか。接触を一〇〇％なくせば新型コロナを押さえ込むことができるのは自明の理。しかし、人と人との接触を止めれば経済が死に、文明も滅びる。

かつて交通戦争といわれ、年間一万五千人の死者、怪我を含めれば数万人の被害を出しても自動車を止めなかった政府が、八割の移動自粛、全員の自宅待機を要請したのは驚きです。思いのほか日本国民はお上の指示に忠実に従いました。その結果、多くの商店がつぶれ、観光業者が苦しみ、航空業界は瀕死の状態です。それほどの犠牲を払ってもコロナが治まる気配はありません。このやり方は間違いだったと言えましょう。

ではどうすれば良かったのでしょう。感染症の原則にならい「早期発見、分離・隔離の徹底」しかありません。ところが厚労省の役人が考えた方法は、法律の立て付けから感染者は全員病院に収容せねばならず、医療崩壊を避けるために、重傷者のみを検査収容して、軽症の感染者はいなかったことにしよう、ということでした。

自粛を要請する手法も問題です。「コロナは怖い病気です。移されないように自宅にいてください。人に移すのもいけないことです」

かように恐怖と不安を与えて人々の行動抑制を図ったのです。若い人の行動抑制がうまくいかないと「若い人が感染しても軽症で終わるといわれていますが、それは間違いです。脳梗塞を起こした人がいます」「家に持ち込むとおじいちゃんやおばあちゃんに移して大変なことになりますよ」。脅かされているようだ。

恐怖に加えて相互不信、これでは生活が全てに渡って萎縮してしまいます。

私ならこう案内します。「新型コロナウイルス感染症（正式名称covid-19）が流行しています。人から人へ接触、対面による会話などを通して感染します。もしあなたが感染してもあなたにはまったく非がありません。疑わしい症状があったら進んで検査を受けましょう。陰性なら今までと同じ生活を続けてください。不幸にして陽性なら症状に応じて入院、ホテル等に隔離させていただきます。陰性になったところで元の生活に戻れます。費用は無料です」「感染者をネガティブに捉えてはなりません。彼らはコロナと戦う戦士です。戦いに勝利して戻れるように祈りましょう。戻れば後方部隊で支援してもらいましょう」

お上の強い要請はそれに従わせる強い同調圧力を呼び起こす。自粛警察、マスク強要、店への張り紙による閉店要求、感染者への転居要求など。

「三密」回避の要請も妙な話ではありませんか。政府が検査数を増やし、感染者の早期発見、感染者の分離・隔離をしてくれれば、残った非感染者は従来通りの生活ができるはず。自分たちのやるべきことをやらず、一般人に「三密」回避を強要し、感染するのはあなた方が不注意だからですといわんばかりのやり方は責任転嫁ではないですか。

「三密」と言えばオリンピックは三密の極地ですね。同時にやる必要のない大会を同時にやり、一個所に集める必要のない大会を一個所に集め、さらに普段は熱中症を避けて真夏の運動はやめましょうと言いながら真夏に大会を強行し、三〇年以内に七〇%の確率で起きるといわれている直下型地震のリスクにまで目をつむり、そうまでして何でやるんでしょうね。自然が人間の都合に合わせてくれるなんて絶対にありえないことは今回の新型コロナで十分に認識したのではないですか。欲が絡むと人間なんでもしますね。

早期発見、分離・隔離は個人の責任ではなく、行政の責任でしょう。

小中学校の全国一斉休校も、アベノマスクの全戸配布と同じく噴飯ものと言わざるを得ません。権力者の腐敗のひとつは批判を嫌い、心地よい取り巻きだけを配し、情報はそこからしか受けず、指令も取り巻きを通じて「上意である」と伝えるだけ。そんな中で起きた必然的ミステークといえましょう。一般的にクラスの中の一人が感染を起こしたらクラス閉鎖、他のクラスに発生したら学年閉鎖、複数学年では学校閉鎖、複数校では市内閉鎖というのが納得がいくやり方でしょう。何の根拠もないのに、全国一斉とは、学校なら実害は少なく、効果が大きいと踏んだ政治的判断だったのでしょう。

唄と拍手で医療関係者に感謝を伝えることが一時流行しましたが、軽薄のそしりを免れません。もし本当に感謝しているなら彼らの給料を十倍にしてあげてください。十倍が無理ならせめて二倍にしたら、感謝を実感できます。病院の中でもコロナに従事している人は貧乏くじを引き当てた人という目で見られています。もし給料が二倍になれば応募者が殺到して花形職種になります。これが本当の感謝です。

もともと社会に蔓延する病気を医者に治してというのは期待過剰、病院で受け入れた患者を救うように努力するのが医者の仕事、病院の入り口までは医療行政、つまり政府や都の責任です。医療崩壊と言う言葉も気に入りません。正しくは医療行政の崩壊ではないですか。何でもかんでも医療関係者の責任みたいにいわれたくないですよ。自分を犠牲にしても患者のために尽くすのが医者の使命なんて考えている人がいたら即刻改めてください。医療関係者は皆さんと同じ労働者です。

感染症の抑制とＧｏＴｏキャンペーンが両立するわけがありません。経済を殺しかけているのに気付いて、あわてて方針変換を図りました。幸い死者数も思ったほど伸びず、病院にも多少のゆとりが見られる今しかないという判断でしょう。少々感染者、死者が増えても、何とか乗り切れそう。今見切り発車をしないとオリンピックなど夢のまた夢。観光業も考え、外国人の入国制限も緩めよう。

最初恐怖を与えておいて自粛をもとめ、今度はお金で釣って出かけさせようというのは国民を馬鹿にしているとしか思えません。自分たちの判断ミスを認め、恐怖、不安を解消すればお金など出さなくても国民は以前のように動き出します。ここで使った膨大な支出は誰が負担するのですか。若い世代は借金まみれに苦しむ将来の自分を今から覚悟するしかないでしょうね。

　年寄りは少々お金を積まれても変わりませんよ。そんなことではだまされないぞと思うのが年寄りの知恵と言うものです。罹ったら死ぬと言われたので、旅行も食事もおしゃべりの会にも行きませんよ。家に閉じこもって認知症が進み、体が弱って寝たきりの可能性もあるかもしれません。もしそうなったら、どうしてくれるんですか。

2020／10／14

テレビに出演した厚労省の田村大臣の説明を聞いた。中国の武漢では九百万人の全体検査を行いその後四カ月間発症が一例もないとのこと。

治療法のない感染症対策は早期発見、分離・隔離に尽きるが、表現を変えれば地域の全体検査、振り分け、隔離となる。これほどはっきりしても日本の政治の世界では簡単にいかないものと見える。

　千人の中から感染者を見つけることは唾液を百人ずつまとめる方法をとっても数回の検査が必要だが、家族旅行の六人の陰性を確認するには唾液をまとめる検査で一回の検査で済む。そのことで安心して旅行に行けるではないか。こんな簡単なことが何故やれないのだろうか。

２０２０／１１／１

ハロウィンも例年とは様変わりした。各地のイベントもコロナ対策で軒並み中止、あっちを向いてもコロナ、こっちを見てもコロナ、全くいらいらしてしまう。死亡者が二千人にもいかないのに世紀の疫病扱い、すこし過剰反応な気もしますが。コロナの対応を間違えて、人間関係も、経済も殺しました。

２０２０／１１／１１

北海道に第三波が来たかもという報道を受け考えました。「早期発見、分離・隔離」が必須ですが、なぜか国の方針が遅々として進みません。

そこで提案です。もう別の誰かも考え付いているとは思いますが、今の段階で感染者の分離を少しでも進めるように〝陰性検査証明カード〟を発行します。唾液によるＰＣＲ検査をした日付、検査機関名、検査結果を記入したカードを持ち歩き、二週間以内の陰性なら食事や観劇、映画などすべて一割引のサービスを受けられるというものです。これで規制のない元の生活に戻れます。別に補助金も要りません。お店は一割引いても以前の状態に戻れるなら喜んで参加するでしょう。非感染者だけ入店を認めるという方針を採る店が現れるかも知れません。

2020／12／6

第三波が始まったのにGoToキャンペーンをゴールデンウイークまで続けるらしい。そのあと、第四波がきて七月二三日～八月八日に開催されるオリンピックが果たしてできるのでしょうか。もしかして〝大本営発表〟にならなければよいのですが。検査数を操作して故意に感染者数を抑え、なんとかオリンピックを成功に導く、後のことはどうにかなると言うことでしょう。もともと統計学的に見て、母数をランダムに選ぶ、母数を揃えるなどの基本を無視し続けている政府発表など信頼に足るデータとは言いがたい部分がありましたから。

2020／12／14

勝負の三週間が過ぎようとしているのに、感染者数が一向に変わらないのは政府の対策が間違っていたと言うことになります。

仮定の話になりますが、四月の段階で何もしなかった場合と、今日での感染者数と死亡者数をくらべたら、ざっくりした私の予想では〝同じ〟です。

大騒ぎをして経済を殺し、借金をつくり、文明をだめにしてしまいました。簡単に言ってしまえば「自分で自分の首を絞めた」と言うことでしょう。

ではどうすればよかったのでしょうか。早期の強制的検査、感染者の隔離、非感染者による経済的活動の継続です。

無症状の若者が感染を広げているといって非難しても、無症状なら活動するのは当たり前ではないですか。それを家に居ろと言う方が無理筋というものです。もし無症状者も含め、大規模の強制検査の結果、感染しているとわかれば〝隔離をするぞ〟と言われても、若者だって皆納得します。

2020/12/25

国内初のコロナ感染者が発生してから一年が経過しようとしている。対策はことごとく失敗して、もはや万策尽きた感がする。

八〇歳の老人が言うことだから許して欲しい。別にコロナに拠らなくても次々に同世代が死んでいく。いずれ皆死んでいくのだからこんなに大騒ぎすることもないと思う。生きるか死ぬかは運命によるものだから。ワクチンが出回ってなんとか生き延びられても、生き残ってよかったと思える日が来るのだろうか。

2021／1／7

再び緊急事態宣言が発令されようとしている。四月の時より感染者が多いのに、甘い対応で、これでは感染を抑えられる訳がない。〝医療崩壊を防ぐために行動抑制をする〟は間違い。守るべきは医療ではなく社会の方で、動くな、働くな、家に居ろと言われては社会がもたない。感染者と非感染者を分離し、感染者を隔離することでしか社会を守れない。検査の手法がわかっているのに何故できないのだろう。感染者だけを隔離すればいいものをすべての人を隔離しようとしている。

隔離された感染者が生き残れるか死ぬかはその人の持つ力にかかっている。ウイルスと戦える人は生き残るし、戦えない人は死ぬ。医療は与えられた武器を使って戦う人を助ける。武器もないのに働けと言うのは無理、過剰な責任を負わせてはならない。それこそ医療崩壊だ。

政府と都知事が犯した六つの基本的誤り

その一　感染症が防げるとした認識の誤り。
その二　恐怖を与え自粛を強要し、相互不信を植え付けた誤り。
その三　根拠がないのに小中学校を全国一斉休校にした誤り。
その四　検査を多く行うことで感染者の分離・隔離をし、一方、非感染者の行動制限はやらないという方策を採らなかった誤り。
その五　感染者にnegativeな印象を与え、差別、中傷を防止できなかった誤り。
その六　ＧｏＴｏキャンペーンと感染症防止が両立できると強弁した誤り。

新型コロナウイルスと検査の主な流れ
（毎日新聞　七月二九日、八月三〇日、九月二二日より一部抜粋）

2019／12／31　中国・武漢市衛生健康委員会が「ウイルス性肺炎」の流行を公式ウェブサイトで発表
2020／1／15　WHOが中国からウイルスの遺伝子情報の提供を受ける
2020／1／15　国内で初めて新型コロナウイルスの感染を確認
2020／1／23　武漢市が都市封鎖
2020／1／24　関係閣僚会議にて、国立感染症研究所（感染研、東京）が各地の地方衛生研究所（地衛研）でPCR検査を実施する体制作りを指示
2020／1／28　新型コロナ感染症を感染症法の指定感染症とし、検査は公費負担の行政検査とした
2020／1／29　中国・武漢から邦人帰国のチャーター機の運航開始、感染確認
2020／1／30　WHOがパンデミック（世界的大流行）を宣言
2020／2／1　厚労省は「帰国者・接触者相談センター」の開設を都道府県に指示した
2020／2／3　クルーズ船「ダイヤモンド・プリンス号」が横浜に入港

2020／2／8　感染研の対策会議で検査体制の拡充方針を確認

2020／2／17　「相談・受信の目安」を公表
風邪の症状や、三七・五度以上の発熱が四日以上続く、強いだるさや息苦しさ、呼吸困難がある

2020／2／26　安倍晋三首相が大規模イベントの「今後二週間」の自粛を要請

2020／2／27　厚労省が検査対象に「医師が総合的に判断した結果、感染を疑う場合」を明記

2020／3／4　日本医師会が「医師が必要と判断したのに保健所が検査に応じなかった」事例が三〇件あったと公表

2020／3／6　PCR検査の公的医療保険適用。医療機関が保健所を介さずに民間検査会社に依頼可能に

2020／3／10　首相が大規模イベントの自粛期間の十日間程度延長を要請

2020／3／13　改正新型インフルエンザ等対策特措法が成立

2020／3／18　日本医師会が「医師が必要と判断したのに保健所が検査に応じなかった」事例が二六都道府県で二九〇件あったと公表

2020／4／1　首相が全世帯に布マスクを二枚ずつ配布する方針を表明

2020／4／2　軽症者については医療機関ではなく、宿泊施設や自宅での療養とするよう厚労省が自治体に通知
2020／4／7　首相が緊急事態宣言を発令。七都府県を対象に五月六日まで
2020／4／11　「接客を伴う飲食店」の利用自粛要請を全国に拡大
2020／4／15　日本医師会がPCR検査センターの開設方針を発表
2020／4／16　緊急事態宣言を全国に拡大、一三都道府県は「特定警戒都道府県」に
2020／4／17　首相が「一律一人十万円給付」を決断したと発表
2020／4／22　専門家会議が検査体制の強化を提言「検査に行くまでのプロセスがうまくいっていない」
2020／4／27　厚労省が歯科医師による検査体採取を認める通知
2020／5／1　中小企業などに最大二百万円を支給する「持続化給付金」の申請受け付け開始
2020／5／4　緊急事態宣言の五月三一日までの延長を決定
2020／5／8　厚労省が「相談・受診の目安」を改定し、「三七・五度以上の発熱が四日以上続く」との記述を削除
2020／5／13　厚労省が抗原検査キットを承認

2020／5／14　八都道府県を除く三九県で緊急事態宣言を解除
2020／5／15　一日に実施可能な検査能力が二万件を超える
2020／5／21　大阪、京都、兵庫の三府県で緊急事態宣言を解除
2020／5／25　緊急事態宣言が全面解除に
2020／5／29　厚労省が無症状の濃厚接触者にＰＣＲ検査を広げることを決定
2020／6／2　厚労省が唾液ＰＣＲ検査を認める
2020／7／10　赤羽国交相が「ＧｏＴｏトラベル」キャンペーンを二二日から開始すると表明
2020／7／14　中小企業の家賃負担を軽減する「家賃支援給付金」の受け付け開始
2020／7／22　「ＧｏＴｏトラベル」キャンペーンを開始
2020／8／28　安倍首相が辞任を表明
2020／10／10　厚労省　感染症法の適用見直しへ
入院勧告対象変更へ軽症者を除外

あとがき

この本で言いたかったことのおさらい。

国はもともと自然にあるものではなく、ヒトの力で作られた人工物であること。

国のやることには間違いも多い。

国はみんなをだましにかかるから疑ってかかりましょう。


孫にとっておばあちゃんはお小遣いはくれるし、電話も多いし、いろいろなものを送ってくれるし存在感はあります。一方おじいちゃんは何でいるのか分かりません。死ぬ前におじいちゃんはこんなことを考えていたんだよとアピールしたくなりました。


話題にコメントしようとすると、ウルサイといわれてしまいます。

文章を書くのは良いですね。紙とボールペンがあれば思いの丈を吐露することができます。

家族には面白くないといわれましたが敢えて出版させていただくことにしました。

残りの人生は後悔のないように生きたいですね。不良老人になります。「小人閑居して不全をなす」というわけです。

参考文献

『民主主義は終わるのか』山口二郎（岩波新書）
『日本会議　戦前回帰への情念』山崎雅弘（集英社新書）
『日本会議の正体』青木理（平凡社新書）
『日本会議の研究』菅野完（扶桑社新書）
『勘定奉行の江戸時代』藤田覚（ちくま新書）
『1984年』ジョージ・オーウェル（ハヤカワ文庫）
『江戸の経済官僚』佐藤雅美（徳間文庫）
『結婚と家族』布施晶子（岩波書店）
『江戸の罪と罰』平松義郎（平凡社）
『超国家主義』中島岳志（筑摩書房）
『そして官僚は生き残った』保坂正康（毎日新聞社）
『日本人の「戦争観」を問う』保坂正康（山川出版社）
『昭和史』半藤一利（平凡社）
『いま戦争と平和を語る』半藤一利（日経ビジネス人文庫）
『国家論大綱』滝村隆一（勁草書房）
『日本の歴史 13』江戸開府（中央公論社）
『律令国家と万葉びと』鐘江宏之（小学館）
『日本国の正体』長谷川幸洋（講談社）
『日本歴史民俗論集』（吉川弘文館）
『柳田国男の民俗学』福田アジオ（吉川弘文館）
『オウム』島田裕巳（トランスビュー）

医歯大新聞掲載論文

大学を卒業して七年ほどして歯科医院を開業した。当時歯科医不足で患者が殺到し、忙しい毎日を送った。四十三年後閉院した。その間、忙しい毎日で形而上学とは無縁の生活が続いた。こうして時間ができ改めて医歯大新聞に掲載した記事を読んでみると何も変わっていないことに驚いた。いまさらの感もあるが、再度ここに掲載させてもらいました。

集団論（医歯大新聞 昭和四一年六月二〇日号）
―集団の構成要素とそれらの相互関係―

僕の考えが集団論という形をとり始めたのは、ごく最近、ここ半年ほどまえのことである。その頃、読書や現実体験から得た断片的知識を僕なりに整理し綜合することによって自分の考え方の欠点を知り、新たな方向を見出したいと思っていた。

また、それとは別に現実との対応の中で僕らがかかえている問題を徹底的に追及すればその問題に限定されぬ地点まで問題が拡大し、けっきょく人間とか社会とかのようなより基本的事項についても総体的把握がなければ何もいえなくなってしまうのではないか、というようなことも考えていた。

ところで、僕らを取り巻く膨大な書物や情報の多くは、それなりに鋭い分析をなし、真理をついている感じがしたが、なにか一面的ではないかという印象が絶えず付きまとっていた。というのは、それらの認識の方法として複雑な現実を分析し細分してゆく中で明確な概念に達しようとしたからではないかと思う。ところが、僕自身は逆に現実を綜合し、加算することにより単純な概念にいたろうとする方法に興味を持っている。ではいったい何を中心として体系化し得るのだろうか。綜合し得るとすればこの世界に実存する人間を中心として再構成してみる以外にないであろう。

「集団論」はそのような人間を中心として現実を構成する仕方の一つであって、集団を主体としてそれが置かれた状況との相互関係について考えていこうとするものである。ここで述べる集団は抽象化されたものであり、僕自身が直接加わっていた限定された集団から出発し、たとえば家族、学校、サークルというような典型的な集団について書かれた社会学における集団論を参考にして、人間のあらゆる集団に対して適用できる理論図式を用意しようとするものである。したがってそれは開かれた体系でなければならないし、他の現実を矛盾なく説明する仕方、それ自体も矛盾するものであってはならず、むしろそれらのものを包括するものでなければならない。

僕はこの「集団論」を書く前に「自己と他者の関係」、「行動論にたいする一つの視点」を発表してきたが、今回は以前のものとは異なった視点、つまり前者については、自己と他者を集団の構成員という同一のレベルで語り、後者にたいしては行動が行われる「状況」を提示した。そのことによって客観的な評価をする視点を確立したいと思っている。

集団の要素と全体規定

集団についていろいろな方面から論じられているが、今までの集団についての記述の多くは集団を集団構成員のレベルからのみ追究している。つまり、全体と個の対立、仲間、学校というように所属集団の変化、一人の人間の多くの集団への所属から来る疎外の問題というように、個人にアクセントがおかれているが、これは集団の一面を語っているに過ぎない。

われわれが個について語るとき個にたいする社会（全体）が前提となっていなければならない。一般に用いられている集団はここでいう集団の部分に過ぎないのであって、僕は集団をもっと広い意味で用いたい。

集団の定義としては「複数の人間が一緒になって何かをやる。」とする。このように定義すると少なくても三つの次元に分けて考えることが出来る。

①集団成員について
②集団の統合作用
③集団行動

先に挙げた定義を軸としてさらに抽象化した地点で、「集団とは一定の方向の共有性を持つ人の集まり」とまでいい得るのではないか。たとえば歩道を歩いている一人の男と反対方向から来る一人の男の関係が集団関係をなす、というのは男と男の間には一定の方向性、道路上で障害物である反対方向からくる男をかわそうという共通の条項を見出せるのである。

一定の方向性とは静的側面においては「欲望」であり、それは成員の各々の方向性、つまり「意識のあり方」と深く関連している。

＊　＊　＊

集団の構造を決定し、集団行動のあり方を規定する基本的要因は「総体としての欲望の種類とそれが実現可能になる手段」といえる。

欲望はそのあらわれ方においてはいろいろであるが、いずれも一定の方向性を有し、現状を何らかの方向へ超える。たとえ、一見したところ保守的な態度もその現状が急激な変化を見せている場合、すぐれて現状変更の態度である。ところで集団化するためにはその欲望実現が個人のレベルでは不可能で集団化のレベルでは可能であるという条件を必要とする。

いかに総体としての欲望が実現するかの手段について述べるということは、とりもなおさず集団について述べることである。

集団成員について

集団の構成員が集団の成立に不可欠な要素であることはいうまでもない。したがってこの項では集団成員の地点から集団の全体を把握しようとすることを試みる。つまり集団はその成員の立場からその成員に現れる範囲内においてのみその現れ方を問題にしてゆこうとするものである。

さて複数の人間がいるだけではそれを集団というわけにはいかない。複数の人間が集団をなしているかどうかは個体間に役割の上では差があるかどうか問えばよい。その集団化への変化は個体のもつ肉体的、社会的差異をメルクマールとしている。

ところで、集団成員とはどのようなものであろうか。集団の成員の行動は個人の行動のようにその個人の主体を中心として組み立てられているものではなく、中心はどの成員にも属さないある一点である。それはあたかも合成された力がどの作用点にも属していないかのようである。つまり個人が集団化するということは全的人間であることを断念し、彼の一部分を「役割」として積極的に参加させ、剰余の部分を消極的に参加させることである。

そしてある成員の基本的願望は他の成員に要求し、他の成員と共に成員であることをやめることである。というのは、役割とは個人の部分であるし、彼の目標は再び全的人間に立ち戻ることであろうから。集団論では「人間」概念は成立せず、その代わり「役割」という概念が成立する。

役割は「期待」の総計である。成員Bに対する期待は（～して欲しい）（～であって欲しい）という願望の形をとり、Bにとっては（～しなければならない）という形をとる。一人の成員は他のあらゆる成員からそれぞれ異なった期待をされ、それらを合計したものが役割である。他の成員は彼の役割を承認し、その役割を実行するための権限を付与し、役割を実行するように義務を課する。また役割の遂行の準備状態が態度といわれる。

役割と並んで集団成員についての基本的概念は「行動様式」である。行動様式は役割が個々の現実の場に立ち現れるときの現れ方の規制であり、役割は行動様式の定式化において期待だけの場合よりもさらに明確に定められる。

行動様式は幅を持ち、最低レベルのこれだけはぜひやらねばならない「規則」から最高水準のこれだけやれば申し分なしという「規範」まである。最低基準は最高基準とは異なり、それが実行されないと集団組織の崩壊につながりやすいので文章化して明確になり易く、それに違反する者に対して懲罰が設定されやすい。役割、行動様式は永続すると固定化し慣習や制度にまでなっていく。

役割は集団の方向性によって体系づけられる。体系づけに伴って期待の集中度、もしくは役割の重要性、希少性により順序づけが生じ、「地位」が定まる。

「集団統合」について

集団はその内部に緊張と発展の契機を含みつつも統合体として存在する。集団において統合作用の発生する必然性については成員が理論的には「役割」のみをもつといえども、現実の場では生命ある主体（人格）であるため集団の目標の達成にとって不必要な剰余部分を持たざるを得ないし、また時間的に変化し、役割という固定した行動型にたいする逸脱行為が生ずる。ところで、集団維持のためにはこれら個人の不安定さや役割以外の部分にたいする対策をたて、成員の役割を安定したものにする必要があり、そのことによって間接的ではあるが集団目標の遂行に貢献する。

集団成員の役割の細分化は集団の統合作用の複雑化と平行している。現代社会の特徴といわれている個々人の分離は別の表現をつかえば、個々人が組織化され強い結合の下にあるということである。したがって個々人がバラバラになることにのみ注目して、個々人の分離の現象は統合作用が強固に働いているから可能であることを忘れてはならない。統合作用はそれに費やされるエネルギー、時間は生産的、直接的に何かを生み出すというものではなく、目標達成に間接的にしか貢献しないから集団にとって余分ではあるが必要やむを得ない支出であるといえる。

次に統合作用の具体的、個別的例を述べたい。

集団において実際はそれが有機的に結びつき、成員における仲間との連帯感、役割遂行の使命感、集団に対する忠誠心や帰属意識がじょう成されていく。統合作用の中で成員の自発性に依拠するものとしては「報酬、価格体系、情緒的結合、民意反映」があり、それとは逆に「対象化」とされる恐れに基づく「罪、暴力、敵対集団」がある。

その他、空間的同一性に基づく「地縁」、生物学的同一性に基づく「血縁」、精神的同一性に基づく「象徴」がある。欲望の具体物としての報酬は、それが「サービス」のように無形のものであれ、「財」のように有形のものであれ、成員の（〜したい）（〜が欲しい）という欲望に対応し、統合作用としての有効性は欲望の実現する程度、つまり報酬の内容にかかわってくる。「利害の一致」が集団化の契機になり、統合作用の中心である例は多くみられる。

集団構成員における行動様式はあくまで個人レベルで問題にしたのに対し、それを集団全体から捉えかえすと「価値体系」となる。価値体系は行動様式とは相対的独立性をもって語られる。価値体系のもつ一つの側面は集団の全体的イメージを作り出し、集団を方向づける。「価値」はその発生基盤を集団に持ち、集団内においてのみ有効なものである。

＊　＊　＊

個人の成員としての部分的参加と人間としての全体像の分裂に対する対策としては先にあげた

意識的レベルにおける「情緒的結合」がある。それは集団が全的包括的であるという幻想を与える。

いわゆる「民主的」運営とか指導者の交代の可能性などの「民意反映」は指導者と一般成員との断層を埋め、集団との同一感を生むと同時に、利害関係が一致したという幻想を生む。報酬と並んで、最も基本的な統合作用は「暴力」である。成員はそれを（やむを得ないもの）として承認するが、成員の自発性に依拠しないという点において統合の方法としては危険なものである。効果が少ないと、それは量的に拡大され、ついには集団の破壊にもつながる。罰は報酬にたいする一定の制限である。時には報酬の質と量に対する変化として、もしくは集団の成員であることに対しての全的否定として。

「敵対的集団」の存在も集団内部の結束を高めずにおかない。その集団を対象化し、物化せずにはおかない。敵の出現は分裂した内部をまとめる。しかしそれは敵が存在する間だけであり、根本的対策ではないだろう。「血縁」には家族が、「地縁」には村が、「象徴」には国家が代表的存在としてあげられる。各々は最も自然な統合の仕方であるが、それが意識的に利用される場合がある。近年、交通機関とマスメディアの発達により集団の規模がますます拡大している。

以上、集団統合の具体例をあげたが、統合作用になるためには必ずしも具体化される必要なく例えば報酬の約束、暴力のみせしめなど「可能性の提示」だけの場合がある。例えば会員相互の親睦をはかることを目的にするクラブのように綜合作用と集団目標とが一致している場合でもいぜん両方の側面からのアプローチが可能である。

「集団行動について」

集団行動のレベルは集団を構成する最も基本的な要素である。集団行動とは「個々人の欲望が集団の方向性として対象に向かい目標を達成し、逆に獲得物が分配されてゆく過程」といえる。集団行動はある状況内における運動であり、集団は運動体または1個の独立した主体として考えられる。ところで集団において状況が問題にされるのは集団によって把握された限りにおいてである。

集団は成員と状況との中間項として存在して、集団行動において、成員に役割を課し、逆に成員は集団行動を通じて状況に働きかける。

統合作用のあり方を規制するのもやはりこの集団行動においてである。ところでこのような基本的要素である集団行動を決定するものは「欲望の種類とそれが実現可能となる手段によってである。」ということは前述した。

＊　＊　＊

では次に集団行動の過程を図式的に示してみよう。まず個々人欲望が集団の方向性として対象に向かうまでの過程についていえば、集団化する以前に個人レベルで「欲望」もしくは「不明確な矛盾意識」として一個人のレベルでは不可能で、集団レベルでは可能という条件がなければならない。次の段階としてそのような一定の方向性を共有する者が集まり、その中から指導者が分離していく。

指導者は集団の内外から「情報」を収集して「問題発生の状況」と「成員の全体的願望」のよりいっそう明瞭な把握をしなければならず、それに続き原因の追求と同時に問題解決の方向が探求される。それについては一般成員の前に課題としての「目標」、基本的行動過程としての「方針」、目的達成の可能性としての「願望」が提示される。逆に言えば、以上のような条件をみたす者が指導者としての資格を有する者であるといえる。

次に具体的、直接的行動の準備段階として「役割」の設定と人員の配置、成員の役割の内面化がはかられ、欲望の実現と役割遂行が等価であることが示される。それと同時に資源としての材料、エネルギーと手段としての用具、技術が準備される。また宣伝などのような統合作用の具体的保障が行われる。

さていよいよ具体的、直接的目標実現過程としての集団行動が行われる。具体的行動はいままで述べてきた要素のいわば検証過程であり、ある種の「フィードバック回路」として作用し、方針などがダイナミックに変化し修正を受ける。目標を実現された場合には成果が分配され、実現が失敗した場合、いわば負債が分配される。そして集団は解散、崩壊、存続，保守化など種々な形に変質してゆく。

コミュニケーション・教育課程

コミュニケーションの構成要素としては伝達者、受信者、内容（伝達者の意見）、解釈（受信者の意味づけ）、効果、媒体が考えられる。集団におけるコミュニケーションを「言語」を媒介とする成員の関係の仕方と考えるとき、先に挙げた三つのレベルのいずれをとっても大きな比重を占めてくる。つまり集団化のメルクマールとして個人間にコミュニケーションを介しての「相互影響」があるかどうかが問題であろうし、指導者と一般成員を結ぶ命令としてのコミュニケーション、統合作用としてのマスコミュニケーションも検討を要する。

コミュニケーションを物質的移動という概念にまで拡大すれば非常に重大な問題となってくる。教育はコミュニケーションの一部である。教育は個人の集団への参加、「社会化」、成員の役割への配置と調整の問題とに関係してくる。

今後の課題

この集団論は非常に抽象的なもので、このままでは「複雑な現象」を説明するには不十分であろう。しかし、僕が集団を問題にするのはあくまでも現実にわれわれが抱えている問題解決に役立たせるためであり、今後この集団論をそのための力強い武器にまで育てあげなければならない。今後の課題としては、集団論において展開されている論理拡大と現実への適用がある。それらはいずれも「検証」の過程であるともいえる。

この論文はいわば集団の静的、構造的側面に限定して集団を問題にしてきたが、動的側面をも問題にしていかなければならない。今後、集団のライフサイクルを問題にしていく過程で歴史的要素を導入してゆく。またこの論文は一つの集団をその関係する限りにおいて、その現れ方を問題にしたのみであった。したがって今後は集団と集団との関係を考えていかなければならない。その必要性については例えばある集団構成員の欲望はより包括的な内部において作られたものであるという点で小さな集団は包括集団をその中に指し示している。集団内の関係を考える際、「内集団」と「外集団」という概念が登場する。ある集団ともう一つの集団の基本的関係としては両集団が互いに共通部分を持たない対等な関係にある場合、一部を共有する場合、一方が他方に包括される場合が考えられる。さらに三つの場合、四つの場合というように集団の数を増加させていくことが考えられる。

結びとして

書き終えて前文を読み返してみると、提出された諸概念の不明確さとそれぞれの概念との間に有機的つながりの欠如、さらにはオーバーな表現があるが、それはこの論文が「綜合化」をめざしたためでないかと思う。

またコミュニケーションについては不十分な記述しかできなかった。この論文に対しては種々な批判があると思う。それに対して僕なりに反論したいと思う。しかし，結局のところ僕の今後の問題意識はこの集団論を中心にして発展する以外にないのである。

自己と他者の問題（医歯大新聞 昭和四〇年七月二〇日号）

意識はあらゆるものを〝対象化〟する。一つの大きな調和の中にあった家族、親、兄弟、さらには自分までが対象化され、「一体、君は僕にとってどんな意味があるんだい？」という問いが逃れられぬものとして我々に迫ってくる。

分離の克服という点を一応除いて、ここでは集団さらには社会を語るためにも決して無視できない自己と他者との根源的関係についてのみ述べてみようと思う。

自己と他者との同一性

一人の人間ともう一人の人間の問題、つまり自己と他者との問題は二つに大別できる。人間はまず自己があってその次に他者が認識されるのではない。まず他者を認め、次に他者と同一のものとしての自己認識が始まるのである。他者は自己認識の第一歩であり、他者と同一のものとしての自己という形でパーソナリティの発展がある。このようなことは死についての認識にもいえる。

自己の死についての意識はないが、他人の死が自己の死の存在を知らせてくれる。他人は自己にとって鏡のようなものである。同一性はまた現実の行動におけるアプリオリな了解でもある。

自己実現は他者の自己実現でもある。自分が幸福になれる社会を建設することは同時に他者がいや、すべての人間が幸福になれる社会を築き上げることである。また自己が他者を殺害するのを止む無しとすれば、それは同時に他者が自分を殺害するのも止む無しということと同じである。

「私は私の行動を万人の一人として行動する。」

最も自然な思考方法の一つである擬人的思考方法や了解による方法はこの自己と他者の同一性に根ざしている。思考方法の発達が未熟な段階にある子どもは猫や犬と話をしようとするし、犬がからだをなめるのを「ワンちゃんお腹すいた。」という。また文化人類学における諸々の未開民族についての研究は彼らが自己と動物や植物とを同一視している例を数多く報告している。したがって幼児から少年期を経て大人に至る段階は自己と他人を区別するようになる過程、母親、家族から始まって自分自身をさえ対象化するに至る過程であるといえる。

同一性にもう一つの同一性が有る。語られる同一性、好ましいもの、目標の一つとしての同一性がそれである。自然法の思想においては人間は生まれながらにして平等であって、このような思想が基となってブルジョワ革命が推し進められた。また宗教特にキリスト教においては人間はすべて神の子として、神の下で平等であるという。また自己と他者の同一性はこのように理想的内容を含むが故に、現実の道徳や規範の中心的徳目としての位置を占めてきた。現代においてすべての人が目指す目標であり何人もそれを無視することは許されない。実際には労働者を搾取し心の中で他人を虫ケラとしか思っていない者でも口を開けば「人は平等だ。」としか言い得ないのである。

しかし、目標としての同一化は神においてのみ可能なものであり、人間が人間である以上同一化の試みは挫折に終わらざるを得ない。人間をして人間たらしめる意識はあらゆるものを対象化し、あらゆるものを分割する。分割された自己と他者はもはや同一ではありえない。というのは分離とは違いをみつけることであるから。さらに現在の社会、現在の世界は自己と他者の同一性が単なる観念的なものとしてしか通用しなくなってきているのではないだろうか。営利性の追求、機械化、集団の中への個人の埋没、価値意識は疎外化された社会の時代である。したがって平等化の実現は達成の方向に向かうどころか形骸化し、他者の第二の側面が前面に現れてくる。

他者—自己実現の手段

人は何のために生きているのであろう。金を貯める、楽をする、快楽を追求する、後世に名を残す、世のため人のために尽くす等いろいろあり、究極的な目標が何であるかはここで述べることはできないがそれを自己実現という言葉で表現するとすれば、他者の第二の側面は自己実現の手段ということである。これが現実に見られる「自己—他者」の関係、人の歴史は人間による人間の支配によって綴られてきた。仲間との協力、連帯を勝ち取れなかった者は「結局人間なんて皆自分のことしか考えないんだな。」と寂しげにつぶやく。

この関係が明らかになるのは戦争のようにぎりぎりに追いつめられた状況においてであり、古来からの文学の主要なテーマの一つになっている。戦争という舞台の上での赤裸々な人間の姿は他人を犠牲にしても生きようとする人間、異性の人格をも無視して自分の欲望を満足する人間として描かれている。人が人を喰い物にするという点〝獣〟的だともいえる。サルトルは「存在と無」の中で自己と他者との存在論的構造を対他存在という言葉であらわし、自己と他者の関係を「まなざしを向けるもの—まなざしをそそがれるもの」の果てしなき戦いであるといっている。また幼児においては世界は彼の欲望を充たすためにしか存在しないが、成長の過程で自分のことしか考えないエゴイズム的なものから社会的自我への変化がみられる。

以上、「自己—他者」の関係二つの側面つまり、自己と同一なものとしてとらえられる他者と自己実現の手段としての他者について各々説明してきたが現実には純粋な形で存在することはなく、両者の中間型を含めて諸々にパターンが異なっている。「他人は利用するためにいるのさ。」という型、「困った時にはお互いを助け合わなければ」という中間型、「他人を手段にするなかれ。」という型などさまざまである。第二の関係に近いものが社会学でいう個人セルフ志向型であり、第一の関係に近いものが社会的セルフ志向型ということになるであろう。また個人の認識のパターンは一定しているのではなく、そのときどきの状況の違いにより現れ方が違ってくる。

人は自分にゆとりがある時には第一の関係に近くなり、戦争のように追いつめられた状況では第二の関係が前面に現れてくる。さらに人間の発達という視点から見るならば、人間の発達する過程において無意識的、感覚的次元の自己と他者の同一性が意識的、理念的次元で愛などによって他者との同一性を回復しようとするが、諸々の条件によりその試みが挫折すると、利害得失の次元、現実の次元において、他者は自己実現の手段としてしか使われないようになる。

肯定、否定、無関心

理論的ではなく、具体的な一人の人間ともう一人の人間との関係は「他者は自己実現のための存在」という第二の関係を中心として①自己実現に協力する他者②自己実現を阻止するもの③無関心、無関係というように区分できる。

①の自己実現に協力する他者とは俗な意味でいう味方のことであり、愛によって結ばれる関係といってもいい。しかし「今日の味方は明日の敵」という格言があるように味方とは敵でないもの、つまり明日の敵を味方というのである。味方とは自己実現の方向が一致しているもののみであり、積極的に両者を結ぶ恒久的なものは何もない。味方とは敵が存在する故に味方であり、敵が存在しなくなれば味方も味方でなくなる。「私は誰々さんのためにのみ思ってやった。」という表現の仕方があるが、これは十分な表現ではない。というのは、他人のためにのみ行う行為、自

己のためを思わない行為など存在しないからである。

②の自己実現を阻止するような他人とは、別の言葉で言えば敵である。どういうものを敵というのか。敵とは自己実現を阻止しようとするものであり、自己を対象化、客体化しようとする者のことである。死というものは回復不可能な対象化であり、恐れは巨大な敵についての明白な意識、不安は不明確な敵の存在の認知である。人間の一生は対象化を妨げようとするむなしい試みである。

③の無関心、無関係とはどういうことなのか。人間と人間の関係は本来、敵か味方かのどちらかであり、無関心とは人の物に対する、もしくは物の人に対する関係をいうのである。人は絶えず他人となんらかの結びつきを求める。それがお互いを滅ぼすことになるとしても。したがって③の関係とは自己か他者のどちらかが人間として異常な状態にあるといわざるを得ないのである。他人に対する無関心は特に現代において著しい、それは現代において本来的な人間の特性を失ったものが多数存在することを物語っているし、現在のような疎外的状況のもとでは増加する一方であろう。

愛、サド、マゾヒズム

自己と他者を肯定的に結ぶきずなが愛であるが、現代ほど愛について多く語られ、愛が不毛な時代はないと思う。マスコミは愛についておしゃべりをするが、それは現代における愛の不在を意味しているし、少なくともマスコミが語る愛は真実の愛ではない。というのは愛とサド・マゾヒズム的愛と混同しているからである。愛は究極的価値であり、一つの目標である。純粋な形での愛は存在しないし、愛を手にしたと思った瞬間愛は逃げ出す、つまり絶えずそれを追い求める中でのみ愛たりえるのである。愛とは他者を自由なままに自己のものとするという論理的矛盾を実現しようとする試みである。フロムは愛について「成熟した愛は本来の全体性と個性を持ったままでの状態での合一である。愛は人間の中にある活動的力である。人間をその仲間から隔絶するところの壁を破壊する力であり、彼を他の人々と結びつける力である。」といっている。

自己と他者との分離の統一の最後の望みとしての愛は残しておきたいが我々が考える程安易なものではなさそうであるし、不用意な愛の試みはサド・マゾヒズムへの転落を余儀なくされている。「私はあなたのためなら命も喜んで捨てる。」というような台詞は愛の表現ではなく、マゾヒズムの一つの形態にしか過ぎない。サディズムは他者のすべてを自己のものとし、自己の位置を確固たるものにしようとするものであり、マゾヒズムは他者の自由に自己の自由をゆだねて、確実な位置を得ようとするものであるが、両者は真の愛ではないという点においてサディズムとマゾヒズムは同じ事の表裏の関係にあるのである。

■著者略歴

海は…洋（うみはひろし）

1942年　生れ
1961年　東京医科歯科大学歯学部入学
新聞会所属（OB）
1967年　東京医科歯科大学歯学部卒業
1974年　歯科診療所開設
2017年　歯科診療所閉院
2021年（令和3年）1月1日　80歳（数え年）

「国家と民とコロナ」
八〇歳だから云えること

二〇二一年三月一五日　第一刷発行

著　者　海は…洋
発行人　中澤教輔
発行所　情況出版株式会社
〒一三六-〇〇七一
東京都亀戸八-二十五-十二
電　話　〇三-五八七五-四一一五
ＦＡＸ　〇三-五九三七-三九一九
印刷・製本　中央精版印刷
装丁・ＤＴＰ　木村祐一（株式会社ゼロメガ）

ISBN978-4-9152-5299-0